weeds
of the lesser antilles

mauvaises herbes
des petites antilles

Publié avec le concours du CTA

Jacques FOURNET
INRA Guadeloupe

John L. HAMMERTON
CARDI Saint Lucia

INSTITUT NATIONAL DE LA RECHERCHE AGRONOMIQUE
147, rue de l'Université, 75007 Paris

TECHNIQUES ET PRATIQUES

Ouvrages parus dans la même collection :

Guide des analyses courantes en pédologie
D. BAIZE
1988, 172 p.

Techniques for the brucellosis laboratory
G.G. ALTON, L.M. JONES, R.D. ANGUS, J.M. VERGER
1988, 192 p. (en anglais).

Maladies de la tomate
Observer, identifier, lutter
D. BLANCARD
1988, 232 p.

Espèces exotiques utilisables pour la reconstitution du couvert végétal en région méditerranéenne
Bilan des arboretums forestiers d'élimination
P. ALLEMAND
1989, 150 p.

Le cerf et son élevage
Alimentation, techniques et pathologie
Co-édition INRA - Le Point Vétérinaire
A. BRELURUT, A. PINGARD, M. THERIEZ
1990, 144 p.

Le contrôle anti-dopage chez le cheval
D. COURTOT, Ph. JAUSSAUD
1990, 156 p.

L'alimentation des chevaux
W. MARTIN-ROSSET
1990, 232 p.

Maladies des Cucurbitacées
Observer, identifier, lutter
D. BLANCARD, H. LECOQ, M. PITRAT
1991, 320 p.

ISBN : 2-7380-0209-9

Contents

Sommaire

To Gwen and Michèle,
and to all who are fascinated by weeds.

A Michèle et à Gwen,
ainsi qu'à tous ceux que passionnent les mauvaises herbes.

Weeds : an introduction

Weeds have been variously defined as « plants growing in the wrong place », « plants growing where they are not wanted », or as « plants that are a nuisance ». Such definitions imply a moral judgement. In other words, weeds are a human concept. Mankind — not nature — decides what is « a wrong place », which plants are « not wanted », or those that are a « nuisance ». Perhaps these definitions need an economic concept, or some mention of control. Weeds are « plants growing where they are a nuisance, and where they need to be controlled ». Weeds therefore cost someone money : money and labour must be expended to control them.

It follows that any plant can be a weed. It depends simply on where and when it is growing. A few cowpea plants growing in a plot of tomatoes, or a scattering of volunteer corn plants in a field of peanuts, are weeds. They are growing in the wrong place, or are growing there at the wrong time. However, few small-scale Caribbean farmers would either regard them as a nuisance, or attempt to control them.

Weeds are the camp followers of agriculture. They are a consequence of the disturbance of the natural vegetation and of the soil. In the absence of agriculture — or of any other form of interference with the natural environment — there would be no weeds. When men were simple hunters and gatherers of edible and palatable leaves, fruits, seeds, nuts, tubers, and roots, there were no weeds. Weeds appeared only when man began to interfere with natural vegetation by encouraging the more desirable and prolific food plants by removing the undesirable, non-edible plants. This was the primitive beginnings of agriculture, and of weed control. No doubt some of the undesirable plants recovered or reappeared, and others invaded the cleared areas. Then man began to clear small plots of land and to disturb the soil to plant desirable food plants ; certain plant species became regular and persistent invaders of that land, regular competitors with the crop plants, and man had consistently to control these in some way. These were the first true weeds : plants that could not only survive, but flourish in cultivated areas of land.

Weeds compete with crop plants for water, mineral nutrients, and light. By so doing they reduce crop growth, yields and quality, and, for the commercial farmer, income. They can have other undesirable effects as well. Some weed species harbour pests and diseases of crop species. They can also increase the humidity within the leaf canopy, so encouraging the spread of certain crop diseases. Weeds can also hamper crop spraying, and reduce its effectiveness, and hinder harvesting. Some weeds are poisonous to man and animals as contaminants of food and feed, while others can cause injury to man and animals from thorns, prickles, or stinging hairs. There is also the possibility of « **allelopathy** » : the production, by certain weed species, of chemical toxins, harmful to other plants species, including crop plants. Apart from the economic effects of weeds in agriculture and horticulture, weeds can also have non-economic nuisance effects. They may, for example, detract aesthetically from the beauty of a lawn, a flower bed, or of an ornamental hedge. No income is lost, but money has to be spent to remove the offending and unwanted plants. Bur grass (*Cenchrus echinatus*), for instance, may make access to a beach unpleasant and uncomfortable. There is no loss of productivity, but eventually money may be needed to remove the nuisance.

Why does cultivation invite weeds ? Why do man-made plant communities apparently offer special opportunities to weeds ? There are four main reasons.

— Crops are often grown in pure stands, for simplicity of planting, fertilising, crop protection and harvesting. Stands of single species, however, are seldom able to fully exploit the habitat. Even mixed cropping normally uses relatively few species (often only two), and these collectively may also fail to fully exploit the environment.

— Crops are often relatively short-term — with a growing season of only a few months — and do not exploit the habitat for the entire growing season, leaving resources that weeds can, and do, use.

— Crops are usually grown in rows, because it is easier, and because machinery for row planting and for crop care is easier to design and to use. Consequently, there are spaces between the crop rows, at least during the early stages of crop growth, that are not exploited by the crop, and which are therefore available for occupation by other species. Where crops are not planted in rows, they are usually arranged — paradoxically — so as to allow space to control weeds. The paradox is that closer spacing would help suppress weeds, but makes control more difficult. The wider spacing allows weeds to invade, but facilitates their control !

— Crops are often grown in areas to which they are not native. Furthermore, they may be « improved » — by selection or breeding — for specific characteristics of yield and quality. This may render them inferior to native species in the struggle for existence. However, many weeds of cultivation are also introduced, or « non-native ». Indeed many important weeds are now pantropical. The successful introduced weeds have selected themselves, in competition with many native species. They have survived without man's intervention. It is small wonder that such species have become serious and persistent competitors with both native and introduced crop species.

What of more « natural » man-managed plant communities — established planted pastures, and natural pastures ? Why do such communities also have weed problems ?

— Planted pastures often include introduced, non-native species, and are usually simple in floristic composition. The pasture weeds are, almost invariably, native species, able to compete very effectively with the less-adapted introduced species. These latter are maintained only by management systems designed to favour them.

— Pasture species are often selected, *inter alia,* for their palatibility, so that they are preferred to other species by grazing animals. They tend, therefore, to be more heavily grazed than the less palatable native species, with the consequence that the improved species are increasingly at a disadvantage, especially in competition for light. There are occasional exceptions to this, however.

— Natural pastures are, in many habitats, an interruption to the natural succession from cultivation back to forest. Poor management will hasten this succession ; good management will postpone it, perhaps almost indefinitely. Weeds of natural pastures are a part of the succession.

Plants can be separated into crop and non-crop species, but not all non-crop species are weedy. Many such species cannot survive either in cultivated land or in man-managed pastures. *Celosia argentea, Talinum triangulare, Indigofera* spp., *Paspalum fimbriatum* and *Coix lacryma-jobi*, for example, are familiar species of roadsides, hedgerows and woodland margins, but are seldom found persisting in cultivated land or pastures. Conversely, *Amaranthus viridis, Emilia fosbergii, Portulaca oleracea* and *Phyllanthus amarus* are species seldom found persisting away from cultivation (some french-speaking authors call such species « arvales », which means « plants bound to the fields » or « to a crop environment »). Other plants are able to grow in most man-disturbed environments. They can be found on ditch-banks, building sites, along roadways, on screes and so on, but can also invade cultivated land, when they behave as weeds. The french call such species « ruderales ». Both « arvales » and those « ruderales » which may behave as weeds are called « mauvaises herbes » in french (literally bad, evil or wicked plants, a moral judgement again ; unless it simply means « wrong plants », the right ones being the crops !). In creole or « patwa » (patois), there is no such term as « mauvaise herbe » and people simply call « hazyé » or « razyé » every wild (non tree-like) shrub, and « zèb » any wild herbaceous plant ; this implies that the concept of « evil » or « wrong » plant is unknown : « Tout hazyé sé rimèd ! » (every wild shrub is a remedy). As an aside, it is interesting to note than some english-speaking authors of Floras describe certain plant species as « common weeds of waste land », « weeds of roadsides », or as « weeds of wet locations ». In most such instances, it is debatable whether the species referred to are, in any ways, « nuisances » or in the « wrong place ». They do not merit the name « weed » and indeed these authors are misusing the word « weed ».

Weeds are opportunists : they take advantage of unutilised and underutilised resources. Successful weeds possess certain properties that need to be understood in order to design effective strategies for their control. These properties include the following :

— **Plasticity** enables a weedy species to survive and produce some seed at least, under adverse conditions of competition, drought, or infertility, and at least to maintain soil seed reserves.

— **High seed production** increases the chances of successful establishment, and enables a weedy species to colonise a new area rapidly.

— **Efficient dispersal mechanisms,** such as water- or wind-borne seeds, dehiscent pods, fruits (attractive to birds and animals) with seeds that pass through the digestive tract, and hooked or spined seeds or fruits that can be carried on fur and clothing. Such mechanisms enable a weed species to colonise new, and perhaps distant, areas.

— **Seed dormancy mechanisms** enable a weedy species to persist through, for example, extended fallow periods when conditions for establishment are unfavourable, or through a period when seed production is low, either as a result of effective weed control, or as a result of adverse weather.

Several successful weed species are vegetatively propagated however, with little or no seed production. Such species are usually prolific producers of vegetative propagules (tubers, rhizomes, roots or stolons), and so can colonise very rapidly. They are also highly adapted to cultivation, relying on this for dispersal into new areas. Plants from vegetative propagules are usually hardier and harder to control than plants from seeds.

Weeds may be a nuisance, but many are not without their uses. Are they still weeds if they are useful ? It again comes down to the question of where they are growing and when. If they are removed from the crop, for the benefit of the crop, albeit to be used, they surely remain weeds. Major uses of weedy species include human food, animal feed and for medicinal purposes. Other uses are as mulch, as ground cover and landscaping plants, as ropes or twine for tying bundles or bags, and for brooms. A few example follow.

— **Human food.** Of the weeds commonly used as human food in the Caribbean, the calalus, caterpillars, spinachs and zepinas (*Amaranthus* spp.), are probably the most popular. Agouma (*Solanum americanum*) and spanish needle (*Bidens pilosa*) are also used as a spinach, but much less commonly. Purslane or pussley (*Portulaca oleracea*) can be used as a pot-herb, or in salads, both the fleshy stems and leaves being eaten. The seeds of *Senna* (formerly *Cassia*) *occidentalis* (wild coffee) are sometimes roasted and used as a coffee substitute.

— **Animal feed.** Many weedy species are grazed, and it's a regular practice with many small farmers to graze weed fallows. Indeed, the weed fallow may be an important part of the whole farm system, both in restoring fertility and in providing forage when it may be scarce. And many weedy species are cut and carried as feed for livestock, both ruminant and non-ruminant. Most grass weeds are acceptable as forage, at least when young, and legume weeds, such as rabbit vine (*Teramnus labialis*), are high in protein — although some species may contain toxic alkaloids. Many broad-leaf weeds, including the viny morning glory's (*Ipomœa* spp.), rabbit meat (*Alternanthera* spp.), rabbit butter (*Emilia* spp.) and hog weed (*Boerhavia* spp.) are also palatable.

— **Medicinal uses.** Such uses for weedy species abound, and many are considered to have a wide range of curative or ameliorative properties. Cerasee (*Momordica charantia*) is used as a tea for colds, fevers, and high blood pressure, and is considered by some to be a « deterrent » against cancer. Juice from the leaves of spanish needle (*Bidens pilosa*) is reputedly good for inflamed eyes, and as a styptic for cuts. The leaves of lion's tail or gros pompon (*Leonotis nepetaefolia*) are boiled to make a bath for prickly heat, while the leaves and stems of purslane (*Portulaca oleracea*) are used as a poultice for painful backs. The leaves and flowers of coralita (*Antigonon leptopus*) are used to make a tea for coughs and constricted throats.

— **Mulches.** Many weeds are used for mulching, but some grass weeds are more durable as mulch and suppress weeds better. Guinea grass (*Panicum maximum*) and napier or elephant grass (*Pennisetum purpureum*), are both good mulches, and are planted as forages as well as being weeds. Citronella or mulch grass (*Cymbopogon citratus*) is also a good mulching grass.

— **Ground cover and landscaping.** Carpet daisy or marigold (*Wedelia trilobata*) is planted as a ground cover, and several sages (*Lantana* spp.) are grown for landscaping and as ornamentals, and there are dwarf and variegated forms. Bahama, Bermuda, or devil grass (*Cynodon dactylon*) is a very variable grass species that makes a good, manageable, ground cover and lawn. It is also used as a forage grass.

— **Ropes and twines.** The mature stems of many viny weeds are twisted or plaited to make short ropes or twines, for tying bundles, bags and bales. *Ipomoea* spp., *Merremia* spp. and *Cissus* spp. are among those most commonly used.

— **Brooms.** Several weedy species carry the vernacular name « broomweed », and their dry stems are used to make brooms or whisks. The broomweeds include *Corchorus siliquosus, Sida acuta*, and *Borreria* spp. ; the white broomweeds include *Parthenium hysterophorus* and *Sida spinosa* ; and there is a crumpled-leaved broomweed (*Malvastrum coromandelianum*).

Many weedy species are extremely decorative when in flower — apart from the « domesticated » and cultivated weedy species. Lady Nugent's rose or rosalba (*Clerodendron philippinum*) has clusters of attractive, faintly perfumed, white or pinkish double flowers (the leaves have a foetid smell if crushed, however). Coralita (*Antigonon leptopus*) is a vigorous vine with abundant clusters of charming coral pink or white flowers. The shak-shaks or rattle weeds (*Crotalaria* spp.) have racemes of yellow papilionaceous flowers, in some species finely striated with red. The viny morning glory's (*Ipomœa* and *Merremia* spp.) have bell- or funnel-shaped flowers, varying in colour from white to pink, purple and blue, or yellow. They usually last only a few hours, unfortunately !

Vernacular names of weeds are often imaginative, descriptive and attractive. Unfortunately, they are unreliable as means of identification, as one name may refer to different species in different countries, and even within the same country, and conversely, a single species may have (and often does have) several names. « Corn grass », for example, may refer to *Rottboellia cochinchinensis*, to *Sorghum halepense* or *Sorghum verticilliflorum*, or to one or more *Setaria* spp. « Milk weed », « milk grass » and « spurge » can refer to any one of a dozen or so *Chamaesyce* (formerly *Euphorbia*) spp. Note that « grass » does not always mean a member of the Poaceae (grass) family, and is, in some islands, considered a synonym of « herb » ! « Broomweed », as already discussed, can refer to any one of several weedy species. Hence the need to know the botanical names, and one reason for this book. Among the more poetic and evocative vernacular names are cupid's shaving brush and soldier's tassel (*Emilia fosbergii*), baby's lace (*Pilea microphylla*), carry-me-seed and egg woman (*Phyllanthus* spp.), Christmas candlestick (*Leonotis nepetaefolia*), blushing Jenny (*Mimosa pudica*), piss-a-bed (*Senna occidentalis*) and fowl foot grass (*Eleusine indica*). Some weeds have a wealth of vernacular names (*Bidens pilosa*, *Commelina* spp., *Peperomia pellucida*, *Momordica charantia* and *Stachytarpheta jamaicensis*, for example), whereas others have a few or none (*Brachiaria reptans*, *Centrosema pubescens*, *Phenax sonneratii* and *Setaria barbata*, for instance). Some vernacular names in creole/french-speaking and english-speaking islands correspond exactly : Manger lapin / Rabbit food, Pyé poul / Fowl foot, Grèn anba fèy / Seed-under-leaf, but others bear no relation to one another (Ké a rat, Zèb a chouval, Konkonb a chyen, for instance, have no equivalent in english).

This book will, hopefully, help the reader to know the commoner weeds of the Lesser Antilles better, to understand how they are successful as weeds, and how they might be better controlled. The reader will look in vain for recommendations on control, however. Control methods vary so much with the crop and cropping system, that any brief recommendation would risk either being so general as to serve no one, or being so specific and localised as to serve very few. The only recommendation of universal applicability is « control weeds early and prevent their propagation and dissemination ».

Nobody really knows how many weedy species there are in the Lesser Antilles. Five hundred or so ? It's partly a matter of definition and interpretation. How many times and in how many places must a species be found growing as a weed to qualify ? The 150 species discussed in this book have been selected from a much longer list of possibles, as being the more common weedy species in most islands.

« Unwanted » and « nuisances » though they be, weeds can be a source of fascination, beauty and pleasure, to those who study and work with them.

Présentation des mauvaises herbes

On a donné diverses définitions des mauvaises herbes : on a dit que c'étaient « des plantes qui poussent au mauvais endroit », « des plantes indésirables en un lieu donné » ou « des plantes nuisibles ». Ces définitions sous-entendent un jugement moral. En d'autres termes, la notion de mauvaise herbe est une conception humaine. C'est l'Homme — et non la nature — qui décide de ce qu'est le « mauvais endroit », qui définit les « plantes indésirables » et les « plantes nuisibles ». Il manque peut-être à ces définitions une dimension économique et la notion de « lutte ». Les mauvaises herbes sont « des plantes qui poussent en un lieu où elles sont nuisibles et où il est nécessaire de lutter contre elles ». En conséquence, elles imposent une dépense : il est nécessaire de dépenser de l'argent et du travail pour les contrôler.

Il s'ensuit que n'importe quelle plante peut être une mauvaise herbe. Cela dépend seulement de l'endroit où elle pousse et du moment où elle pousse à cet endroit. Des Pwa zyé nwè dans une parcelle de tomates, ou quelques repousses de maïs disséminées dans un champ de pistaches, sont des mauvaises herbes. Elles poussent au mauvais endroit et au mauvais moment. Pourtant, peu d'agriculteurs antillais les considéreraient comme nuisibles et jugeraient utile de les combattre.

Les mauvaises herbes s'installent à la suite de toute mise en culture. Elles sont une conséquence du trouble apporté à la végétation naturelle et au sol. Sans l'agriculture, et en l'absence de toute autre interférence avec le milieu, il n'y aurait pas de mauvaises herbes. Au temps où les hommes se contentaient de la chasse et de la cueillette de feuilles, de fruits, de graines, de noix, de tubercules et de racines, les mauvaises herbes n'existaient pas. Elles n'apparurent que lorsque l'Homme entreprit d'agir sur la végétation naturelle en favorisant les plantes alimentaires les plus attirantes et les plus prolifiques, et en éliminant celles qui ne l'étaient pas. Ce furent les tout débuts de l'agriculture et la lutte contre les mauvaises herbes commença. Sans aucun doute, certaines des plantes éliminées repoussèrent, ou réapparurent, et d'autres envahirent les zones découvertes. Lorsque l'Homme commença à défricher de petites parcelles de terrain, certaines espèces de plantes devinrent des envahisseurs réguliers et persistants, et des concurrents habituels des plantes cultivées ; l'Homme dut alors se préoccuper sérieusement de la façon de les combattre. Ce furent les premières vraies mauvaises herbes, c'est-à-dire des plantes qui pouvaient non seulement survivre, mais même prospérer dans les parcelles cultivées par l'Homme.

Les mauvaises herbes sont en concurrence avec les cultures pour l'eau, les éléments minéraux et pour la lumière. Elles diminuent ainsi la croissance des plantes cultivées, leur rendement, leur qualité et, finalement, le revenu du producteur. Elles peuvent avoir d'autres effets néfastes. Certaines espèces de mauvaises herbes hébergent des prédateurs et des maladies des cultures. Elles peuvent accroître l'humidité de l'air autour des feuilles, ce qui favorise l'extension de certaines maladies. Elles peuvent aussi empêcher une pulvérisation correcte des produits de traitement, ou réduire leur efficacité. Elles peuvent en outre gêner la récolte. Certaines mauvaises herbes sont toxiques pour l'Homme et pour les animaux domestiques, et peuvent contaminer les aliments. D'autres, quant à elles, peuvent causer des blessures par leurs épines ou irriter par leurs poils piquants. Il existe également un phénomène connu sous le nom d'« **allélopathie** », qui est la production, par certaines espèces de mauvaises herbes, de toxines nuisibles aux autres espèces végétales, y compris aux plantes cultivées. Outre leur incidence économique en agriculture et en horticulture, les mauvaises herbes peuvent avoir également des effets nuisibles non économiques. Elles peuvent par exemple nuire à la beauté d'une pelouse, d'un parterre de fleurs ou d'une haie ornementale. Il n'y a aucune perte de revenu, mais il faudra dépenser de l'argent pour remédier à l'effet inesthétique des plantes indésirables. L'Herbe rude (*Cenchrus echinatus*) par exemple, peut rendre le chemin d'accès à une plage déplaisant et inconfortable. Il n'y a pas perte de productivité, mais, éventuellement, de l'argent sera nécessaire pour éliminer cette nuisance.

Pourquoi le milieu cultural favorise-t-il le développement des mauvaises herbes ? Pourquoi les communautés végétales fabriquées par l'Homme leur sont-elles apparemment si favorables ? Il y a quatre raisons principales à cela :

— Les plantes sont souvent cultivées en peuplement pur, pour simplifier les opérations de plantation, de fertilisation, de traitement et de récolte. Les cultures pures, cependant, sont rarement capables d'exploiter pleinement les potentialités du milieu. Même les cultures associées, qui concernent normalement relativement peu d'espèces (souvent seulement deux) ne réussissent pas à tirer le meilleur parti de l'environnement.

— Une culture ne reste souvent en place que quelques mois. Elle n'exploite pas l'habitat pendant tout le temps, et laisse donc des ressources dont les mauvaises herbes peuvent profiter, et elles en profitent.

— Les cultures se font le plus souvent en rangs, parce qu'elles sont ainsi plus faciles à mener, et aussi parce que les machines agricoles pour le semis et pour l'entretien sont ainsi plus faciles à concevoir et à utiliser. En conséquence, il existe des espaces entre les rangs qui, au moins pendant les premiers stades de la culture, ne sont pas utilisés par les plantes cultivées, et sont donc disponibles pour d'autres espèces. Lorsque la culture n'est pas menée en rangs, elle est en général disposée, paradoxalement, de façon à ménager des espaces pour les diverses opérations d'entretien, dont le désherbage. Le paradoxe est qu'une densité plus forte gêne les mauvaises herbes, mais complique les opérations de désherbage, et qu'un espacement plus grand permet aux mauvaises herbes de s'établir plus facilement, mais facilite également le désherbage !

— Les plantes utiles sont communément cultivées hors de leur aire d'origine, et sont en outre souvent « améliorées » — par sélection ou par croisement — en vue de caractères précis de rendement et de qualité. Cela pourrait les rendre inférieures à la végétation naturelle de la région dans le combat pour l'existence. Cependant, beaucoup de mauvaises herbes sont également « introduites ». En fait, force est de constater que beaucoup des mauvaises herbes les plus importantes sont de nos jours pantropicales. Ces mauvaises herbes introduites, particulièrement agressives, se sont sélectionnées d'elles-mêmes, au cours de leur compétition avec les espèces locales. Elles ont survécu sans l'aide de l'Homme, et il n'est pas étonnant, dans ces conditions, qu'elles soient devenues de sérieuses concurrentes aussi bien pour les espèces indigènes que pour les plantes cultivées.

Qu'en est-il des communautés végétales plus « naturelles », simplement gérées par l'Homme (prairies naturelles ou prairies implantées au stade d'exploitation) ? Pourquoi ont-elles, elles aussi, des problèmes de mauvaises herbes ?

— Les pâturages implantés incluent souvent des espèces introduites, qui sont moins adaptées au milieu que les indigènes. Ces espèces introduites ou bien ne peuvent survivre longtemps, ou bien ne le font, concurremment avec les indigènes, qu'avec l'aide de techniques conçues pour les favoriser et les maintenir.

— Les espèces fourragères sont souvent sélectionnées, entre autres, pour leur appétibilité, si bien que les animaux les préfèrent. Elles tendent donc à être davantage pâturées que les espèces indigènes moins attrayantes, si bien qu'elles sont de plus en plus défavorisées, en particulier dans la compétition pour la lumière. On observe cependant des exceptions à cette règle.

— Les prairies naturelles, dans de nombreux milieux, sont un palier dans la succession qui mène de l'abandon des cultures au stade forestier. Une mauvaise gestion accélèrera l'évolution, tandis qu'une bonne gestion la retardera, parfois presque indéfiniment. Les mauvaises herbes des prairies naturelles font partie de la succession.

On peut diviser les plantes en cultivées et non cultivées ; mais toutes les plantes non cultivées ne sont pas des mauvaises herbes. Beaucoup d'entre elles, même, ne peuvent survivre sur un sol cultivé, ni dans une prairie bien gérée. Par exemple, *Celosia argentea, Talinum triangulare, Indigofera* spp., *Paspalum fimbriatum* et *Coix lacryma-jobi,* que l'on rencontre couramment le long des routes, dans les haies ou à l'orée des bois, ne s'établissent pas dans les cultures ou les prairies implantées bien entretenues. Inversement, *Amaranthus viridis, Emilia fosbergii, Portulaca oleracea, Phyllanthus amarus* se rencontrent rarement loin de toute culture (certains auteurs francophones les appellent les « arvales », c'est-à-dire « plantes inféodées aux champs », autrement dit « au milieu cultural »). D'autres plantes, enfin, poussent dans la plupart des milieux plus ou moins perturbés par l'activité humaine (on les appelle des « rudérales ») ; on les trouve sur le bord des fossés, dans les lieux habités, le long des routes, sur les pentes d'éboulis, etc. ; elles supportent également les conditions du milieu cultural et s'y comportent souvent comme des mauvaises herbes. Ce sont les arvales et certaines rudérales qui constituent ce qu'on appelle les « mauvaises herbes ». Ce qui paraît être encore un jugement moral n'en est peut-être pas un : « mauvais » peut avoir en français le sens de « faux » (par opposition aux « vraies » herbes, c'est-à-dire aux plantes cultivées). En créole (appelé patwa dans les îles anglophones), il n'existe pas de terme équivalent : « hazyé » ou « razyé » désigne tout arbrisseau sauvage et « zèb » toute plante herbacée sauvage ; cela implique que le concept de « mauvaise » herbe est inconnu : « tout hazyé sé rimèd », dit-on. Notons par ailleurs que certains auteurs de flore de langue anglaise (où « mauvaise herbe » se traduit par « weed ») caractérisent certaines plantes comme « weed » des lieux abandonnés, « weed » des bords de route, ou « weed » des lieux humides. Dans la plupart des cas, on peut se demander si ces espèces sont, en aucune façon, des « nuisances » ou poussent « au mauvais endroit ». Elles ne méritent pas le titre de « weeds », et ces auteurs font un abus du mot « weed ».

Les mauvaises herbes sont des opportunistes : elles tirent avantage des ressources inutilisées ou sous-utilisées. Les mauvaises herbes les plus agressives possèdent certaines propriétés qu'il est nécessaire de comprendre afin de concevoir des stratégies efficaces de lutte. Parmi ces propriétés, on peut citer les suivantes :

— La **plasticité** d'une espèce lui permet de survivre et de produire au moins quelques graines dans des conditions défavorables, par exemple de sécheresse, de compétition ou d'infertilité du sol, et de maintenir ainsi dans le sol un certain stock de ses graines.

— Une **production importante de graines** accroît les chances d'installation d'une espèce, et lui permet de coloniser rapidement une nouvelle zone.

— Des **mécanismes efficaces de dispersion** permettent à une espèce de coloniser des territoires nouveaux, parfois éloignés. On peut citer, par exemple, l'existence de graines transportées par l'eau ou par le vent, de gousses déhiscentes, de fruits attirants pour les oiseaux et d'autres animaux et contenant des graines qui suivent le tractus digestif, de graines ou de fruits épineux ou « crochus », qui peuvent être transportés par la fourrure des animaux et par les vêtements.

— La **dormance des graines** permet à une espèce de traverser, par exemple, de longues périodes de jachère, défavorables à son établissement, ou des périodes de faible production de semences, du fait d'une lutte herbicide efficace, ou du fait de conditions climatiques défavorables.

Cependant, plusieurs espèces importantes de mauvaises herbes sont disséminées par voie végétative et ne produisent que peu (ou pas du tout) de graines. Ces espèces produisent le plus souvent de nombreuses propagules végétatives (tubercules, rhizomes, racines, stolons ...) et peuvent ainsi se disséminer très rapidement. Elles sont aussi très adaptées aux conditions créées par l'agriculture, et s'appuient sur elles pour coloniser de nouvelles zones. Les plantes à reproduction végétative sont souvent plus rustiques et plus difficiles à maîtriser que celles qui se disséminent par des graines.

Les mauvaises herbes peuvent bien être des nuisances, certaines d'entre elles n'en ont pas moins leur utilité. Sont-elles encore de « mauvaises » herbes si elles sont utiles ? Cela nous renvoie à la question de savoir où et quand elles poussent. Si on les ôte de la parcelle pour le bien de la culture en place, et bien qu'elles soient par ailleurs utilisées, il faut sûrement les considérer comme des mauvaises herbes. Les principales utilisations sont l'alimentation humaine et animale, et les usages médicinaux. D'autres utilisations sont le paillage de surface, la couverture du sol, l'aménagement paysager, la confection de liens et de cordes pour attacher les paquets et fermer les sacs, et la fabrication de balais. En voici quelques exemples :

— **L'alimentation humaine.** Parmi les mauvaises herbes utilisées dans la Caraïbe pour l'alimentation humaine, les épinards et calalous (*Amaranthus* sp.) sont sans doute les plus populaires. L'Agouman (*Solanum americanum*) et le Zégwiy (*Bidens pilosa*) sont également utilisés comme épinards, mais beaucoup plus rarement. Les tiges et feuilles charnues du Poupyé ou Koupyé (*Portulaca oleracea*) sont utilisables en salade ou cuites à l'eau. Les graines du *Senna* (*Cassia*) *occidentalis* sont parfois torréfiées et utilisées comme ersatz du café.

— **L'alimentation des animaux.** Beaucoup de mauvaises herbes sont pâturées et les jachères sont couramment utilisées ainsi. En fait, la jachère pâturée peut être une partie importante du système d'exploitation, aussi bien pour son rôle de restauration de la fertilité du sol que pour la production de fourrage quand celui-ci est rare. En outre, de nombreuses espèces de mauvaises herbes sont récoltées et transportées pour l'affouragement du bétail, tant des ruminants que des monogastriques. Beaucoup de graminées constituent des fourrages convenables, au moins à l'état jeune, et les légumineuses, comme le Pwa zwèzo (*Teramnus labialis*) contiennent beaucoup de protides, bien qu'une bonne partie d'entre elles renferment des alcaloïdes toxiques. Beaucoup d'espèces à feuilles larges, dont les Manger-lapin (*Ipomœa* spp., *Emilia* spp.), les Maglwa (*Alternanthera* spp.) et les Patagons (*Boerhavia* spp.) sont également appétents.

— **Les usages médicinaux.** Ils sont légion ; certaines espèces sont réputées présenter une large gamme de propriétés curatives ou améliorantes. Le Pawoka (*Momordica charantia*) est utilisé en tisane contre le rhume, la fièvre et l'hypertension artérielle ; certains considèrent même qu'il a un effet « dissuasif » à l'égard du cancer. Le jus des feuilles de Zégwiy (*Bidens pilosa*) serait un calmant des inflammations oculaires et un hémostatique sur les coupures. Les feuilles bouillies du Ponpon souda (*Leonotis nepetifolia*) sont employées en bains contre la bourbouille, tandis que les tiges et feuilles de Poupyé (*Portulaca oleracea*) sont utilisées en cataplasmes contre les douleurs du dos. Les fleurs et les feuilles de la Belle Mexicaine (*Antigonon leptopus*) sont employées en « thé » contre le rhume et l'angine.

— **Le paillage de surface ou mulching.** Beaucoup de mauvaises herbes sont utilisées de cette façon, mais certaines graminées donnent un mulch plus durable et suppriment mieux les mauvaises herbes. L'Herbe de Guinée (*Panicum maximum*) et le Merker ou Napier (*Pennisetum purpureum*) donnent tous deux de bons paillis ; ils sont plantés comme fourrages, tout en étant également des mauvaises herbes. La Citronnelle (*Cymbopogon citratus*) est également une bonne espèce pour le paillage.

— **La couverture du sol et l'aménagement paysager.** Le Zèb a fenm (*Wedelia trilobata*) est utilisé comme plante de couverture, et plusieurs sauges (*Lantana* spp.) sont employées par les paysagistes, et comme ornementales ; il en existe des formes naines et à feuilles panachées. Le Chyendan (*Cynodon dactylon*) est une bonne herbe de couverture et un gazon facile à mener. On l'utilise également comme graminée fourragère.

— **Les cordes et ficelles.** Les tiges adultes de nombreuses mauvaises herbes lianescentes sont tressées ou torsadées pour faire des cordes courtes ou des ficelles, utilisées pour attacher les paquets et ballots, et pour fermer les sacs. Les *Ipomœa* spp., *Merremia* spp. et *Cissus* spp. sont parmi les espèces les plus utilisées.

— **Les balais.** Plusieurs espèces de mauvaises herbes portent le nom de « balai » ; leurs tiges sèches sont en effet utilisées pour fabriquer des balais et des balayettes.

On peut citer *Corchorus siliquosus*, *Sida* spp., *Malvastrum coromandelianum*, *Borreria* spp., et *Parthenium hysterophorus*.

Outre les espèces « domestiquées » et cultivées, beaucoup de mauvaises herbes sont extrêmement décoratives quand elles sont en fleurs. Le *Clerodendron philippinum* présente des groupes de fleurs doubles, blanches ou rosées, un peu parfumées, très attrayantes ; ses feuilles, froissées, dégagent pourtant une odeur bien désagréable. La Belle Mexicaine (*Antigonon leptopus*) est une liane vigoureuse à nombreuses grappes de délicieuses fleurs rose corail ou blanches. Les Chachas (*Crotalaria* spp.) ont des grappes dressées de fleurs papilionacées jaunes, parfois finement striées de rouge chez certaines espèces. Les Ipomées (*Ipomœa* spp. et *Merremia* spp.) ont des fleurs en cloche ou en entonnoir, dont la couleur va du blanc au rose, au pourpre et au bleu, en passant par le jaune ; hélas, elles ne durent généralement que quelques heures !

Les noms vernaculaires des mauvaises herbes, descriptifs ou pleins d'imagination, sont souvent attrayants. Malheureusement, on ne peut s'y fier comme moyen d'identification, du fait qu'un même nom peut s'appliquer à diverses espèces dans divers pays, voire dans un même pays, et qu'à l'inverse, une même espèce peut avoir (et a le plus souvent) plusieurs noms. Ainsi, dans les pays anglophones, « Corn grass » s'applique aussi bien au *Rottboellia cochinchinensis*, au *Sorghum halepense* et au *Sorghum verticilliflorum*, ainsi qu'à un ou plusieurs *Setaria* spp. « Ti tengn » désigne tous les *Chamaesyce* à petites feuilles et le *Pilea microphylla*, entre autres. « Herbe à vache » sert à désigner *Wedelia trilobata*, *Mikania micrantha*, *Pseudelephantopus spicatus* et *Pterolepis glomerata*. « Balai » sert à désigner toutes les espèces utilisables comme balais. D'où la nécessité de connaître les noms botaniques (latins) qui ont une valeur internationale et d'où la raison d'être du présent ouvrage. Parmi les noms vernaculaires les plus poétiques ou les plus évocateurs, on peut citer « Marie-honte » (*Mimosa pudica*), « Ponpon souda » (*Leonotis nepetifolia*), « Zépyant » (Herbe puante, appellation de plusieurs *Senna*), « Palette du peintre » (*Caladium bicolor*), « Grèn anba fèy » (*Phyllanthus* spp.) ou « Pyé poul » (*Eleusine indica*). Certaines espèces sont riches d'une quantité de noms vernaculaires (*Bidens pilosa*, *Commelina* spp., *Peperomia pellucida*, *Momordica charantia* et *Stachytarpheta jamaicensis*, par exemple). D'autres, au contraire n'en ont que peu ou n'en ont pas du tout (*Brachiaria reptans*, *Centrosema pubescens*, *Phenax sonneratii* et *Setaria barbata*, entre autres). Certains noms vernaculaires de la sphère créole francophone et de la sphère anglophone se correspondent exactement : Manger lapin / Rabbit food, Pyé poul / Fowl foot, Grèn anba fèy / Seed-under-leaf, mais d'autres n'ont aucune relation entre eux, ainsi Ké a rat, Zèb a chouval, Konkonb a chyen n'ont pas d'équivalents anglais.

Le présent ouvrage aidera le lecteur, nous l'espérons, à mieux connaître les mauvaises herbes les plus communes des Petites Antilles, à comprendre pourquoi elles réussissent si bien dans leur rôle, et à imaginer comment on pourrait les mieux combattre. Le lecteur s'étonnera sans doute de ne trouver ici aucune recommandation concernant la lutte. C'est que les méthodes de lutte dépendent tellement de la plante cultivée et du système de culture, que de brèves recommandations n'auraient pu être que trop générales pour intéresser quiconque, ou trop particulières et trop « locales » pour être utiles à un grand nombre. Les seuls principes généraux que l'on peut formuler sont que la lutte contre les mauvaises herbes doit être précoce, et qu'il convient d'éviter leur propagation.

Personne ne sait exactement combien il y a de mauvaises herbes dans les Petites Antilles. Peut-être environ cinq cents ? C'est en partie question de définition et d'interprétation : combien de fois et en combien d'endroits différents faut-il trouver une espèce en situation de mauvaise herbe pour la définir comme telle ? Les 150 espèces environ qui sont décrites ou évoquées dans ce livre ont été choisies à partir d'une liste beaucoup plus longue de postulantes, comme étant les plus communes dans la plupart des îles.

Aussi « indésirables » et « nuisibles » qu'elles soient, les mauvaises herbes sont une source de passion, de beauté et de plaisir pour ceux qui les étudient et travaillent en leur compagnie.

List of abbreviations / Liste des abréviations

±	*More or less*	Plus ou moins
≈	*About*	Environ
>	*Greater than*	Supérieur à
<	*Less than*	Inférieur à
⩾	*Greater or equal to*	Supérieur ou égal à
⩽	*Less or equal to*	Inférieur ou égal à
→	*(Up) to*	Jusqu'à
∅	*Diameter*	Diamètre
×	*By*	Par, sur
Ang	*Anguilla*	Anguilla
Antg	*Antigua*	Antigue
B	*Breadth*	—
Barb	*Barbados*	Barbade
Cor	*Corolla*	Corolle
Dom	*Dominica*	Dominique
F	—	Feuilles
Fam	*Family*	Famille
Grd	*Grenada*	Grenade
Grdn	*Grenadines*	Grenadines
Guad	*Guadeloupe*	Guadeloupe
H	*Height*	Hauteur
Inflor	*Inflorescence(s)*	Inflorescence(s)
L	*Length*	Longueur
l	—	Largeur
Lvs	*Leaves*	—
Mart	*Martinique*	Martinique
Mont	*Montserrat*	Montserrat
Nev	*Nevis*	Nevis
Noms vern.	—	Nom(s) vernaculaire(s)
StB	*Saint-Barts*	Saint-Barthélémy
StCr	*Saint-Croix*	Sainte-Croix
StK	*Saint-Kitts*	Saint-Christophe
StL	*Saint-Lucia*	Sainte-Lucie
StM	*Saint-Martin*	Saint-Martin
StT	*Saint-Thomas*	Saint-Thomas
StV	*Saint-Vincent*	Saint-Vincent
Syn	*Synonym(s)*	Synonyme(s)
Tob	*Tobago*	Tobago
Trin	*Trinidad*	Trinidad
Vern. names	*Vernacular name(s)*	—

Keys

This book describes and illustrates the **most important and most commonly found,** weed species of the Lesser Antilles. Inevitably, the reader will, from time to time, find in the field weed species not described in this book. Such species may belong to one of the **genera** here described, so that an identification to the generic level may be possible. On the other hand, the species may belong to a genus not described in this book, so that identification will remain uncertain. Such instances may be relatively rare, however.

The ideal, perhaps, would have been to construct a **key to the genera.** Such a key, however, would require in many instances, detailed and precise observations, difficult for non-botanists. This would have reduced the value of the book to many of its intended users.

The **empirical** identification keys that follow are based on characteristics that are **generally easy to observe.** They should be regarded as **simple indicators** — as guides to a species or group of species. Each apparently successful identification using the keys should be followed by a careful study of the description of the species, and by careful **comparison with the illustrations.** Only then, provided that the description and the illustrations match the specimen, can an accurate identification to the species level be assumed.

Key to the species

1) Parasitic vines without chlorophyll and without leaves .... ***Cuscuta* sp.**
1) Plants not as above.
  2) Leaves compound
    3) Leaves twice compound
      4) Pinnae arranged digitately : a low growing spiny shrub . ***Mimosa pudica***
      4) Leaves bipinnate
        5) Vine with tendrils .... ***Cardiospermum* spp.**
        5) Plant not a vine
          6) Herb with opposite leaves .... ***Bidens cynapiifolia***
          6) Shrub with alternate leaves
            7) Plant without spines .... ***Leucaena leucocephala***
            7) Plant spiny .... ***Mimosa pigra***
            Dichrostachys cinerea
    3) Leaves once compound
      4) Leaves pinnate
        5) Leaves without a terminal leaflet
          6) Spreading or upright shrubs or herbs, with unpleasant smell .... ***Senna obtusifolia***
          Senna occidentalis
          6) Spreading decumbent herbs
            7) Leaves opposite .... ***Kallstrœmia* spp.**
            7) Leaves alternate .... ***Tribulus cistoides***
        5) Leaves with a terminal leaflet
          6) Leaves opposite, stem four-angled .... ***Bidens pilosa, B. alba***
          6) Leaves unrolling from the base, some with spores .. **FERNS**
          ***Thelypteris* spp.**
          Nephrolepis multiflora

4) Leaves digitate or trifoliolate
5) Vines
6) Leaves digitate. Latex present .... ***Merremia aegyptia***
6) Leaves trifoliolate. Without latex. « Pea-type » flowers
7) Flowers blue
8) Flowers large. Pods glabrous, with a long pointed beak .... ***Centrosema virginianum***
8) Flowers small. Pods with long hairs .... ***Calopogonium mucunoides***
7) Flowers not blue
8) Pods with a long straight pointed beak. Flowers large .... ***Centrosema pubescens***
8) Pods without a long straight beak
9) Pods with stinging hairs .... ***Mucuna pruriens***
9) Pods without stinging hairs, glabrous or nearly so .... ***Vigna* spp.**
***Rhynchosia* spp.**
***Teramnus* spp.**
5) Plants not viny
6) Sticky herb. Lower leaves digitate. Flowers yellow . ***Cleome viscosa***
6) Not as above. Leaves trifoliolate
7) All leaves basal .... ***Oxalis debilis corymbosa***
7) Leaves not basal
8) Flowers deep red, « pea-like » .... ***Macroptilium lathyroides***
8) Flowers not as above
9) Stems creeping
10) Flowers yellow, with five petals .... ***Oxalis corniculata***
10) Flowers white, with four petals .... ***Cleome rutidosperma***
9) Plant upright or diffuse
10) Plant diffuse, more or less spiny. Flowers white .... ***Cleome aculeata***
10) Plant erect, not spiny. Flowers not white
11) Sticky herb, with yellow flowers .... ***Cleome viscosa***
11) Not sticky, with pink flowers .... ***Oxalis barrelieri***
2) Leaves simple
3) Leaves opposite or whorled
4) Vine with opposite leaves. Leaves more or less triangular .... ***Mikania micrantha***
4) Plant not viny
5) Shrub with leaves in whorls of 3. Long, white, tubular, pendent flowers .... ***Clerodendron indicum***
5) Plant not as above
6) Plant with latex
7) Plant decumbent and spreading .... ***Chamaesyce prostrata***
Chamaesyce thymifolia
7) Plant upright or diffuse
8) Plant more or less hairy .... ***Chamaesyce hirta***
8) Plant glabrous, or nearly so .... ***Chamaesyce hypericifolia***
Chamaesyce hyssopifolia
Chamaesyce nutans

6) Plant without latex
  7) Leaf blade with several nerves emanating from the base of the leaf
    8) Fruits small, deep blue berries. Flowers white ... ***Clidemia hirta***
    8) Fruits dry
      9) Flowers spaced out along a slender spike .... ***Priva lappulacea***
      9) Flowers in capitula or heads .... **ASTERACEAE**
        10) Shrub or small tree with distinct smell. Bracts of the involucre arranged like the scales of a fish .... ***Eupatorium odoratum***
        10) Plant not as above
          11) Leaves thickish, often 3-lobed. Capitula large, with yellow rays .... ***Wedelia trilobata***
          11) Leaves thin, not lobed. Capitula small
            12) Flowers blue, mauve or whitish .... ***Ageratum conyzoides***
            12) Flowers yellow .... ***Synedrella nodiflora***, ***Eleutheranthera ruderalis***
  7) Leaf blade with a single nerve emanating from the leaf base
    8) Leaf margins toothed
      9) Flowers violet or bluish, in long rigid spikes ... ***Stachytarpheta* spp.**
      9) Plant not as above
        10) Creeping herb, with white flowers in rounded clusters .... ***Hyptis atrorubens***
        10) Plant not creeping
          11) Shrub, more or less spiny .... ***Lantana camara***
          11) Stems not spiny
            12) Flowers orange, in prickly balls on upright stems .... ***Leonotis nepetifolia***
            12) Flowers not as above
              13) Flowers « double », in large clusters. Plant with an unpleasant smell .... ***Clerodendron philippinum***
              13) Flowers simple, small
                14) Flowers axillary, with spiny bracts ... ***Acanthospermum hispidum***
                14) Flowers spaced along a slender spike . ***Priva lappulacea***
    8) Leaf margin entire, not toothed
      9) Flowers very small, very compact in flat capitula Fruits achenes .... ***Eclipta prostrata***
      9) Plant not as above
        10) Stipules fused between the petioles
          11) Stipules truncated, forming a narrow band . ***Spigelia anthelmia***
          11) Stipules fringed forming a large sheath .... **RUBIACEAE**
            12) Plant decumbent, stems 4-angled, and winged
              13) Plant glabrous, with very small flowers . ***Spermacoce prostata***
              13) Plant pubescent, with flowers 4-6 mm long .... ***Spermacoce latifolia***
            12) Plant upright or diffuse .... ***Spermacoce assurgens***, ***Spermacoce verticillata***, ***Spermacoce confusa***, ***Diodia ocimifolia***

10) Stipules absent, or at least not fused between the petioles

11) Leaves very small (3-6 mm long), in two rows .... ***Pilea microphylla***

11) Leaves more than 15 mm long

12) Flowers large (3-4 cm long), blue or violet, funnel-shaped .... ***Ruellia tuberosa***

12) Flowers less than 15 mm long

13) Flowers in dense upright spikes, with numerous overlapping bracts

14) Spikes 4-angled .... ***Blechum pyramidatum***

14) Spikes cylindrical or nearly so .... ***Teliostachya alopecuroidea***

13) Inflorescences not as above

14) Flowers pink or lilac, about 10 mm long, with calyx and corolla (double perianth) .... ***Spigelia anthelmia***

14) Flowers very small, with simple perianth

15) Fruit a soft membranous bag containing a lens-shaped seed, enclosed within the perianth .... **AMARANTHACEAE**
***Alternanthera* spp.**
Achyranthes aspera
***Cyathula* spp.**

15) Fruit not as above. Leaves of a pair often unequal

16) Flowers sessile, axillary, enclosed in a petiolar sheath .... ***Trianthema portulacastrum***

16) Flowers in inflorescences somewhat or very open. Fruit indehiscent ... **NYCTAGINACEAE**
Boerhavia diffusa
Boerhavia coccinea
Boerhavia erecta

3) Leaves alternate or basal

4) Main nerves pinnate or palmate, not parallel

5) Vines

6) Tendrils present, no latex

7) Flowers pink, in groups ; fruit small .... ***Antigonon leptopus***

7) Flowers yellow. Fruit large, fleshy .... **CUCURBITACEAE**

8) Stems slender, climbing. Fruit orange, dehiscent . ***Momordica charantia***

8) Stems thick, creeping. Fruit green, indehiscent .. ***Cucumis anguria***

6) Tendrils absent, but latex present .... **CONVOLVULACEAE**

7) Flowers yellow ; leaves entire .... ***Merremia umbellata***

7) Flowers white, blue or purple

8) Leaves palmately lobed. Plant smelling of bitter almond when crushed .... ***Merremia dissecta***

8) Leaves entire

9) Flowers small, bluish, in clusters .... ***Jacquemontia tamnifolia***

9) Flowers large, violet or mauve, not in heads

10) Calyx ribbed, 10-18 mm long .... ***Ipomoea setifera***

10) Calyx smooth, 5-10 mm long .... ***Ipomoea tiliacea***

5) Plant not viny
6) Leaf blade with several basal nerves
7) Leaves basal, blotched with red .... ***Caladium bicolor***
7) Leaves not basal, on stems and branches
8) Leaves more-or-less palmately lobed
9) Stamens united into a tube surrounding the pistil (as in Hibiscus) .... **MALVACEAE**
***Urena* spp.**
***Malachra* spp.**
***Abutilon* spp.**
9) Stamens free, not united, sometimes branched
10) Fruit a capsule with 3 sections .... **EUPHORBIACEAE**
11) Leaves large, generally more than 25 cm across, with 5-11 lobes. Capsule spiny ..... ***Ricinus communis***
11) Leaves generally less than 12 cm across, with 3-5 lobes. Capsule not spiny
12) Branches fairly thick, with sticky hairs. Flowers deep red. Capsule about 10 mm long .... ***Jatropha gossypifolia***
12) Branches fine, without sticky hairs. Flowers whitish. Capsule about 5 mm long .... ***Croton lobatus***
10) Fruit a small capsule with 5 sections, covered with prickles .... ***Triumfetta* spp.**
8) Leaves not lobed
9) Leaves not toothed, fleshy and delicate .... ***Peperomia pellucida***
9) Leaves toothed
10) Plant more-or-less velvety
11) Flowers small, white, in capitula .... ***Lagascea mollis***
11) Flowers yellow, fairly large, not in capitula .... ***Abutilon indicum***
10) Plants not velvety
11) Flowers yellow, with 5 petals. Fruit papery, or dividing into several sections when ripe . **MALVACEAE**
12) Fruits papery, about 15 mm long .... ***Abutilon indicum***
12) Fruits hard, 2.5-4 mm long
13) Calyx supported by an involucre of linear bracts .... ***Malvastrum* spp.**
13) Calyx without an involucre .... ***Sida* spp.**
11) Flowers small, with white petals, or without petals
12) Flowers in short spikes. Capsule with 3 sections .... ***Croton hirtus***
***Acalypha* spp.**
12) Flowers minute, without petals, in panicles or axillary clusters .... **URTICACEAE**
13) Stinging herb. Flowers in lax panicles . ***Laportea aestuans***
13) Not a stinging herb. Flowers in axillary clusters .... ***Phenax sonneratii***
6) Leaf blade with a single basal nerve
7) Fruit fleshy
8) Fruit enclosed in an enlarged, inflated calyx ..... ***Physalis* spp.**
8) Calyx not enclosing the fruit

9) Shrub 1-3 m high. Leaves lobed. Fruits greenish, becoming yellowish, firm, not shiny, 9-15 mm across .... ***Solanum torvum***

9) Herb or shrub, less than 90 cm high. Leaves entire. Fruits shiny, less than 8 mm across

10) Fruits in umbels, ripening purple-black, 4-8 mm across. Perianth double. Corolla with 5 lobes .... ***Solanum americanum***

10) Fruits in racemes, ripening bright red, about 3 mm in diameter. Perianth simple, with 4 segments .... ***Rivina humilis***

7) Fruit dry

8) Erect herb. Stem hollow, with white latex .... ***Euphorbia heterophylla***

8) Plant without latex

9) Leaf margin neither toothed nor lobed

10) Leaves small, in two rows on horizontal branches resembling a pinnate leaf .... ***Phyllanthus* spp.**

10) Leaves not as above

11) Flowers yellow, « pea-like ». Pod inflated . ***Crotalaria retusa***

11) Plant not as above

12) Flowers violet or mauve, in capitula ..... ***Vernonia cinerea***

12) Flowers not in capitula

13) Flowers very small, in whitish upright spikes. Leaves large, non-symmetrical at the base (except on young shoots) ...... ***Piper dilatatum***

13) Plant not as above

14) Leaves small (5-20 mm long), thick and fleshy. Flowers yellow, with 5 petals. Plant spreading .... ***Portulaca oleracea***

14) Leaves not very fleshy, more than 20 mm long

15) Flowers with double perianth. Petals yellow, large. Fruit a long capsule .. ***Ludwigia octovalvis***

15) Flowers very small, with simple perianth, in spikes and axillary clusters. Fruit a soft membranous bag containing a lens-shaped seed, enclosed within the perianth .... ***Amaranthus* spp.**

9) Leaf margin toothed and/or lobed

10) Flowers very large, white. Fruit a large spiny capsule .... ***Datura* spp.**

10) Plant not as above

11) Flowers more than 8 mm across, not in capitula, with 5 free petals

12) Flowers pink to mauve. Capsule pyramidal .... ***Melochia pyramidata***

12) Flowers yellow. Fruit separating into several parts at maturity .... ***Sida* spp.**

11) Flowers small, tubular, in capitula. Fruits achenes .... **ASTERACEAE**

12) Capitula with a row of thread-like bracts at the base

13) Leaves pinnately lobed .... ***Erechtites valerianifolia***

13) Leaves irregularly lobed or dissected ... ***Erechtites hieracifolia***

12) Capitula not subtended with a row of thread-like bracts

13) Flowers white, in flat capitula. Leaves bipinnately dissected .... ***Parthenium hysterophorus***

13) Flowers red, pink, mauve, or violet, in long or ovoid capitula. Leaves not bipinnately dissected

14) Involucre 9-12 mm long, with one series of equal bracts

15) Capitula about 2 mm across at the top. Flowers pink .... ***Emilia sonchifolia***

15) Capitula 3-5 mm across at the top. Flowers red .... ***Emilia fosbergii***

14) Involucre 3-5 mm long, with several series of unequal bracts. Flowers violet or mauve .... ***Vernonia cinerea***

4) Nerves of the leaves parallel

5) Leaves ovate, thickish. Flowers coloured (blue or white). Stem fragile .... **COMMELINACEAE** ***Commelina* spp.**

5) Leaves narrow. Flowers very small, not coloured

7) Leaf sheath joined around the stem, often triangular in section .... **CYPERACEAE**

8) Fruit spherical, hard, white .... ***Scleria* spp.**

8) Fruit not as above .... ***Cyperus* spp.**

(and ***Kyllinga* spp., *Torulinium odoratum*,** etc.)

7) Leaf sheath generally open down one side, cylindrical or flattened (see special key following) .... **POACEAE**

Key to the grass weeds

1) Leaf blade longitudinally pleated (resembling the leaf of a young palm) .... ***Setaria barbata***

1) Leaf blade not longitudinally pleated

2) Leaf blade ovate or ovate-lanceolate, less than 6 times as long as broad ; length less than 8 cm

3) Panicle large, with fine hair-like pedicels. Lower nodes not rooting. Leaf sheaths hairy towards the top. Leaf margins smooth. Auricles absent .... ***Panicum trichoides***

3) Panicle of 5-12 dense and crowded spikes. Lower nodes rooting. Leaf sheaths glabrous. Leaf margins rough. Auricles ciliate .... ***Brachiaria reptans***

2) Leaf blade more than 6 times as long as broad

3) Ligule absent, replaced by a whitish V-shaped ridge ...... ***Echinochloa colona***

3) Ligule present, as a membrane, with or without hairs, or as a line of hairs (sometimes with a line of hairs behind the membrane)

4) Plant decumbent or very diffuse, rapidly covering the soil by stolons or long rooting decumbent stems radiating from the roots. Individual plants not readily separated

5) Young leaves twice folded. Expanded leaves 9-13 mm broad. Leaf sheath obviously flattened .... ***Paspalum conjugatum***

5) Young leaves rolled. Expanded leaves 2-8 mm broad. Leaf sheaths cylindrical or nearly so

6) Spikes slender. Spikelets 2-2,5 mm long, without awns .... ***Cynodon dactylon***

6) Spikes fairly thick. Spikelets 3-6 mm long, with long straight awns

7) Top of flowering culms glabrous .... ***Dichanthium annulatum***

7) Top of flowering culms crowded with short hairs (observe against the light) .... ***Dichanthium aristatum***

4) Plant erect, or somewhat lax, but clearly distinguishable as individual plant

5) Young leaves folded in two before emergence. Spikes digitate. Leaf sheaths obviously flattened

6) Spikes purple, not rigid, with numerous soft awns .. ***Chloris inflata***

6) Spikes light green, rather rigid. Spikelets composed of several florets, without awns .... ***Eleusine indica***

5) Young leaves rolled before emergence

6) Expanded leaves not more than 8 mm broad

7) Expanded leaves never more than 6 cm long. Spikes small, erect, appressed against the main axis .... ***Brachiaria erucaeformis***

7) Expanded leaves often more than 10 cm long. Inflorescence different from the above

8) Leaves very long (25-50 cm), very narrow, tapering progressively toward the tip, and more-or-less arching .... ***Sporobolus indicus***
Sporobolus jacquemontii

8) Leaves generally not more than 20 cm long

9) Ligule a fringed membrane not more than 1.5 mm long

10) Flowers in hard, spiny burs, in large simple spikes. Leaf sheath obviously flattened ...... ***Cenchrus echinatus***

10) Inflorescence a panicle of long, very slender spikes. Leaf sheath nearly cylindrical .... ***Leptochloa filiformis***

9) Ligule membranous, but not fringed, 1-5 mm long. Inflorescence composed of slender, more-or-less digitate, spikes

10) Leaves soft or velvety on both surfaces. Spikes usually with long sparse hairs (observe against the light) .... ***Digitaria horizontalis***

10) Leaves glabrous or nearly so. Spikes without long hairs .... ***Digitaria bicornis***
Digitaria ciliaris

6) Expanded leaves more than 8 mm broad
7) Leaf sheaths hairy, with numerous stiff, irritating hairs
8) Inflorescence a panicle of spikes, made up of small, rounded spikelets. Central nerve of leaf blade green .... *Paspalum paniculatum*
8) Spikelets more-or-less embedded in the thick, jointed, simple rachis. Central nerve of leaf blade white, at least towards the base .... *Rottboellia cochinchinensis*
7) Leaf sheaths glabrous or hairy, but without numerous stiff, irritating hairs
8) Leaves at one and the same time flaccid and very velvety .... *Paspalum paniculatum*
8) Leaves not as above
9) Leaves releasing a lemon smell on crushing .... *Cymbopogon citratus*
9) Leaves without any specific smell
10) Panicle of spikelets with long, silky hairs, whitish or brownish .... *Digitaria insularis*
10) Panicle without silky hairs
11) Spikelets golden brown to deep brown, wrinkled .... *Brachiaria fasciculata*
11) Spikelets green, greenish, whitish, or more-or-less purple
12) Nodes of the culms obviously velvety. Leaves rarely more than 25 cm long. Spikelets generally purple-tinted
13) Spikelets more-or-less hairy, each subtended by a circular ring (lens needed) .... *Eriochloa polystachya*
13) Spikelets glabrous or nearly so, without a circular ring .... *Brachiaria purpurascens*
12) Nodes of the culm glabrous, or at least not velvety. Leaves obviously more than 25 cm long
13) Ligule membranous, without fringe, but with a more-or-less obvious line of hairs behind. Spikelets rounded and crowded
14) Leaves rigid, ascending or upright. Spikelets about 2.5 mm in diameter, almond-green, sometimes purple-tinged .... *Paspalum virgatum*
14) Leaves rather flaccid, arching. Spikelets about 1 mm in diameter .... *Paspalum paniculatum*
13) Ligule membranous and fringed, without a line of hairs. Spikelets elongated, separated
14) Spikelets glabrous or nearly so, about 3 mm long .... *Panicum maximum*
14) Spikelets villous, 5-6 mm long
15) Rhizome present .... *Sorghum halepense*
15) Rhizome absent .... *Sorghum verticilliflorum*

Aide à la détermination

Le présent ouvrage ne comprend que les espèces de mauvaises herbes les plus courantes et les plus importantes des Petites Antilles. Bien évidemment, le lecteur sera amené parfois à rencontrer sur le terrain d'autres espèces, dont beaucoup appartiendront au même genre que telle ou telle espèce importante. L'idéal, sans doute, aurait été de bâtir une clef des genres ; mais une telle clef aurait nécessité parfois des observations fines et délicates, difficiles à réaliser par le non-botaniste, et nous avons dû y renoncer.

Les clefs de détermination empiriques qui suivent et qui sont basées sur des caractères en général très faciles à observer, ne doivent donc être considérées que comme de simples indications. Chaque détermination apparemment « réussie » doit être suivie de la lecture du texte relatif à l'espèce supposée (ou au groupe d'espèces supposées), ainsi que de l'examen des illustrations jointes. Ce n'est que si la description et les illustrations correspondent exactement au spécimen examiné, qu'une détermination certaine peut être assurée.

Clef de détermination des espèces

1) Liane parasite sans chlorophylle et sans feuilles développées . ***Cuscuta* spp.**
1) Plante ne présentant pas cet ensemble de caractères
  2) Feuilles composées
    3) Feuilles deux fois composées
      4) Folioles en pennes digitées. Petit arbrisseau épineux .... ***Mimosa pudica***
      4) Feuilles bipennées
        5) Liane à vrilles .... ***Cardiospermum* spp.**
        5) Plante non lianescente
          6) Herbe à feuilles opposées .... ***Bidens cynapiifolia***
          6) Arbuste à feuilles alternes
            7) Plante sans épines .... ***Leucaena leucocephala***
            7) Plante épineuse .... ***Mimosa pigra***, ***Dichrostachys cinerea***
    3) Feuilles simplement composées
      4) Feuilles pennées
        5) Feuilles paripennées (sans foliole terminale)
          6) Arbrisseau diffus ou droit, d'odeur désagréable ...... ***Senna obtusifolia***, ***Senna occidentalis***
          6) Herbe couchée .... **ZYGOPHYLLACEAE**
            7) Feuilles opposées .... ***Kallstrœmia* spp.**
            7) Feuilles alternes .... ***Tribulus cistoides***
        5) Feuilles imparipennées (avec une foliole terminale)
          6) Feuilles opposées sur des tiges tétragonales .... ***Bidens pilosa, B. alba***

6) Feuilles naissant toutes de la base, certaines portant des spores .... **FOUGERES**
***Thelypteris* spp.**
Nephrolepis multiflora

4) Feuilles digitées, ou à 3 folioles
5) Liane
6) Feuilles digitées. Latex présent .... ***Merremia aegyptia***
6) Feuilles à 3 folioles. Pas de latex. Fleurs « de pois » . **FABACEAE**
7) Fleurs bleues
8) Fleurs grandes. Gousses glabres, à long bec pointu .... ***Centrosema virginianum***
8) Fleurs petites. Gousses couvertes de longs poils . ***Calopogonium mucunoides***
7) Fleurs non bleues
8) Gousse à long bec droit et pointu. Fleurs grandes .... ***Centrosema pubescens***
8) Gousse sans long bec droit
9) Gousse à poils urticants .... ***Mucuna pruriens***
9) Gousse glabre ou presque, sans poils urticants . ***Vigna* spp.**
***Rhynchosia* spp.**
***Teramnus* spp.**

5) Plante non lianescente
6) Herbe collante, à feuilles adultes digitées, à fleurs jaunes .... ***Cleome viscosa***
6) Feuilles à 3 folioles
7) Feuilles toutes basales .... ***Oxalis debilis corymbosa***
7) Feuilles sur des branches
8) Fleurs « de pois » d'un rouge assez foncé .... ***Macroptilium lathyroides***
8) Fleurs différentes
9) Tiges rampantes
10) Fleurs jaunes à 5 pétales .... ***Oxalis corniculata***
10) Fleurs blanches à 4 pétales .... ***Cleome rutidosperma***
9) Plante diffuse ou dressée
10) Plante plus ou moins épineuse, à fleurs blanches .... ***Cleome aculeata***
10) Plante non épineuse. Fleurs non blanches.
11) Herbe collante à fleurs jaunes .... ***Cleome viscosa***
11) Herbe non collante, à fleurs roses .... ***Oxalis barrelieri***

2) Feuilles simples
3) Feuilles opposées ou verticillées
4) Liane à feuilles opposées, plus ou moins triangulaires .. ***Mikania micrantha***
4) Plante non lianescente
5) Arbrisseau à feuilles verticillées par 3, à fleurs blanches longuement tubulaires, pendantes .... ***Clerodendron indicum***
5) Plante ne présentant pas ces caractères
6) Herbe ou sous-arbrisseau à latex
7) Plante couchée et radiante .... ***Chamaesyce prostrata***
Chamaesyce thymifolia

7) Plante diffuse ou dressée
8) Plante plus ou moins poilue .... ***Chamaesyce hirta***
8) Plante glabre ou presque .... ***Chamaesyce hypericifolia***
Chamaesyce hyssopifolia
Chamaesyce nutans

6) Plante sans latex

7) Plusieurs nervures partant de la base du limbe foliaire

8) Fruits : petites baies bleu foncé. Fleurs blanches . ***Clidemia hirta***

8) Fruits secs

9) Fleurs assez espacées sur de longs épis grêles. Calice à poils adhérents .... ***Priva lappulacea***

9) Fleurs réunies en capitules .... **ASTERACEAE**

10) Arbrisseau ou arbuste odorant. Bractées de l'involucre du capitule disposées en écailles de poisson .... ***Eupatorium odoratum***

10) Plante ne réunissant pas ces caractères

11) Feuilles épaisses, souvent trilobées. Capitules grands, à ligules jaunes .... ***Wedelia trilobata***

11) Feuilles fines, non lobées. Capitules petits

12) Fleurs bleues, mauves ou blanchâtres .... ***Ageratum conyzoides***

12) Fleurs jaunes .... ***Synedrella nodiflora*** ***Eleutheranthera ruderalis***

7) Une seule nervure partant de la base du limbe foliaire

8) Marge de la feuille dentée

9) Fleurs violettes ou bleutées, en longs épis rigides .... ***Stachytarpheta* spp.**

9) Plante ne présentant pas ces caractères

10) Herbe rampante. Fleurs blanches en glomérules .... ***Hyptis atrorubens***

10) Plante non rampante

11) Arbrisseau ou arbuste plus ou moins épineux .... ***Lantana camara***

11) Plante à tiges non épineuses

12) Fleurs orangées, en boules piquantes sur des épis droits .... ***Leonotis nepetifolia***

12) Fleurs non ainsi

13) Fleurs « doubles » en gros bouquets. Plante à odeur désagréable .... ***Clerodendron philippinum***

13) Fleurs simples, petites

14) Fleurs axillaires, à bractées épineuses . ***Acanthospermum hispidum***

14) Fleurs assez espacées sur de longs épis grêles .... ***Priva lappulacea***

8) Marge de la feuille non dentée

9) Fleurs très petites, très serrées sur des capitules aplatis. Fruits : akènes (ASTERACEAE) .... ***Eclipta prostrata***

9) Plante ne réunissant pas ces caractères

10) Stipules soudées entre les pétioles

11) Stipules tronquées, formant une bande étroite .... ***Spigelia anthelmia***

11) Stipules frangées, formant une gaine large . **RUBIACEAE**

12) Plante couchée, à tiges à 4 ailes

13) Plante glabre. Fleurs très petites .... ***Spermacoce prostrata***

13) Plante pubescente. Fleurs L 4-6 mm ... ***Spermacoce latifolia***

12) Plante diffuse ou droite .... ***Spermacoce assurgens***
Spermacoce verticillata
Spermacoce confusa
Diodia ocymifolia

10) Stipules absentes, ou du moins non soudées entre les pétioles

11) Feuilles très petites (L 3-8 mm), distiques . ***Pilea microphylla***

11) Feuilles L > 15 mm

12) Fleurs grandes (L 3-4 cm), bleu-violacé, en entonnoir .... ***Ruellia tuberosa***

12) Fleurs L < 15 mm

13) Fleurs en épis denses, dressés, à nombreuses bractées imbriquées

14) Epis à 4 angles .... ***Blechum pyramidatum***

14) Epis cylindriques ou presque .... ***Teliostachya alopecuroidea***

13) Inflorescences d'un autre type.

14) Fleurs roses ou lilas, L ± 1 cm, à calice et corolle (périanthe double) .... ***Spigelia anthelmia***

14) Fleurs plus petites, à périanthe simple

15) Fruit : utricule contenant une graine lenticulaire et incluse dans le périanthe .... **AMARANTHACEAE**
***Alternanthera* spp.**
Achyranthes aspera
***Cyathula* spp.**

15) Fruit d'un autre type. Feuilles d'une paire souvent inégales

16) Fleurs sessiles, axillaires, incluses dans les gaines pétiolaires. .... ***Trianthema portulacastrum***

16) Fleurs en inflorescences assez ou très ouvertes. Fruit indéhiscent. ... **NYCTAGINACEAE**
Boerhavia diffusa
Boerhavia coccinea
Boerhavia erecta

3) Feuilles alternes ou naissant de la base

4) Nervures principales pennées ou palmées, non parallèles

5) Liane

6) Vrilles présentes, latex absent

7) Fleurs en grappes roses. Fruit petit .... ***Antigonon leptopus***

7) Fleurs jaunes. Fruit assez gros, charnu .... **CUCURBITACEAE**

8) Tiges grêles, grimpantes. Fruit orangé, déhiscent . ***Momordica charantia***

8) Tiges grosses, rampantes. Fruit vert, indéhiscent . ***Cucumis anguria***

6) Vrilles absentes, latex présent .... **CONVOLVULACEAE**

7) Fleurs jaunes, feuilles entières .... ***Merremia umbellata***

7) Fleurs blanches, bleues ou pourpres.

8) Feuilles à lobes palmées. Plante à odeur de « noyau » .... ***Merremia dissecta***

8) Feuilles entières

9) Fleurs petites, bleutées, réunies en glomérules . ***Jacquemontia tamnifolia***

9) Fleurs grandes, violacées à mauves, non réunies en glomérules

10) Calice côtelé, L 10-18 mm .... ***Ipomoea setifera***

10) Calice lisse, L 5-10 mm .... ***Ipomoea tiliacea***

5) Plante non lianescente
6) Limbe foliaire à plusieurs nervures basales
7) Feuilles basales. Limbe panaché de rouge .... ***Caladium bicolor***
7) Feuilles sur des tiges et des rameaux
8) Feuilles à lobes palmaires plus ou moins nets
9) Etamines soudées en un tube qui entoure le pistil (comme dans la fleur d'Hibiscus) .... **MALVACEAE**
***Urena* spp.**
***Malachra* spp.**
***Abutilon* spp.**
9) Etamines libres entre elles (parfois ramifiées)
10) Fruit : une capsule en 3 parties .... **EUPHORBIACEAE**
11) Feuilles grandes, Ø > 25 cm en général, à 5-11 lobes. Capsule épineuse .... ***Ricinus communis***
11) Feuilles Ø < 12 cm en général, à 3-5 lobes. Capsule non épineuse
12) Rameaux assez gros, à poils collants. Fleurs rouge foncé. Capsule L ≈10 mm . ***Jatropha gossypifolia***
12) Rameaux fins, sans poils collants. Fleurs blanchâtres. Capsule L ≈ 5 mm .... ***Croton lobatus***
10) Fruit : une petite capsule en 5 parties, couverte de piquants .... ***Triumfetta* spp.**
8) Feuilles non lobées
9) Feuilles non dentées, épaisses et fragiles .... ***Peperomia pellucida***
9) Feuilles dentées
10) Plante ± veloutée
11) Fleurs petites, blanches, en capitules .... ***Lagascea mollis***
11) Fleurs jaunes, assez grandes, non en capitules .... ***Abutilon indicum***
10) Plante non veloutée
11) Fleurs jaunes, à 5 pétales. Fruits se divisant en plusieurs parties à maturité, ou à consistance de papier .... **MALVACEAE**
12) Fruits L ≈ 15 mm, à consistance de papier .... ***Abutilon indicum***
12) Fruits durs, L 2,5-4 mm
13) Calice soutenu par un involucre de bractées .... ***Malvastrum* spp.**
13) Calice sans involucre .... ***Sida* spp.**
11) Fleurs petites, à pétales blancs, ou sans pétales
12) Fleurs en épis courts. Capsule en 3 parties .... ***Croton hirtus***
***Acalypha* spp.**
12) Fleurs minuscules, sans pétales, en panicules, ou en glomérules axillaires .... **URTICACEAE**
13) Herbe urticante. Fleurs en panicules étalées .... ***Laportea aestuans***
13) Herbe non urticante. Fleurs en glomérules axillaires .... ***Phenax sonneratii***
6) Limbe foliaire à une seule nervure basale
7) Fruit charnu
8) Fruit inclus dans le calice très grossi et plein d'air .... ***Physalis* spp.**

8) Calice restant petit au fruit
9) Arbuste H 1-3 m. Feuilles lobées. Fruits verdâtres, devenant jaunâtres, fermes, ternes, ∅ 9-15 mm .... ***Solanum torvum***
9) Herbe ou arbrisseau H < 90 cm. Feuilles entières. Fruits luisants, ∅ < 8 mm, très aqueux
10) Fruit en ombelles, devenant noir pourpre, ∅ 4-8 mm. Périanthe double. Corolle à 5 lobes . ***Solanum americanum***
10) Fruits en grappes, devenant rouge vif, ∅ ≈ 3 mm. Périanthe simple, de 4 segments ...... ***Rivina humilis***
7) Fruit sec
8) Herbe droite, à latex blanc et à tige creuse .... ***Euphorbia heterophylla***
8) Plante sans latex
9) Bord de la feuille ni denté ni lobé
10) Feuilles petites, distiques, sur des rameaux horizontaux simulant des feuilles pennées ... ***Phyllanthus* spp.**
10) Feuilles sur des rameaux "normaux"
11) Fleurs « de pois » jaunes. Gousse remplie d'air .... ***Crotalaria retusa***
11) Plante ne présentant pas ces caractères
12) Fleurs violettes ou mauves, réunies en petits capitules .... ***Vernonia cinerea***
12) Fleurs non réunies en capitules
13) Fleurs très petites, en épis blanchâtres très denses, dressés. Feuilles grandes, dissymétriques à la base .... ***Piper dilatatum***
13) Plantes sans ces caractères
14) Feuilles petites (L 5-20 mm), très épaisses et charnues. Fleurs jaunes à 5 pétales. Plante couchée .... ***Portulaca oleracea***
14) Feuilles non très charnues, L > 20 mm
15) Fleurs à périanthe double. Pétales grands jaunes. Fruit : capsule allongée .... ***Ludwigia octovalvis***
15) Fleurs petites, à périanthe simple, en épis, et/ou en glomérules axillaires. Fruit : utricule contenant une graine lenticulaire .... ***Amaranthus* spp.**
9) Bord de la feuille denté et/ou lobé
10) Fleurs très grandes, blanches. Fruit : grosse capsule épineuse .... ***Datura* spp.**
10) Plante sans ces caractères
11) Fleurs ∅ > 8 mm, non réunies en capitules, à 5 pétales libres ou presque
12) Fleurs rose-mauve. Capsule pyramidale . ***Melochia pyramidata***
12) Fleurs jaunes. Fruit se séparant en plusieurs parties à maturité .... ***Sida* spp.**
11) Fleurs petites, tubulaires, réunies en capitules. Fruits : akènes.
12) Capitules soutenus à la base par une rangée de bractées filiformes
13) Feuilles à lobes pennés .... ***Erechtites valerianifolia***

13) Feuilles irrégulièrement incisées .... ***Erechtites hieracifolia***

12) Capitules non soutenus par des bractées filiformes

13) Fleurs blanches, en capitules plats. Feuilles bipinnatifides .... ***Parthenium hysterophorus***

13) Fleurs rouges, roses, mauves ou violacées, en capitules allongés. Feuilles non bipinnatifides

14) Involucre L 9-12 mm, d'une seule série de bractées égales

15) Capitules ∅ ≈ 2 mm au sommet. Fleurs roses .... ***Emilia sonchifolia***

15) Capitules ∅ 3-5 mm au sommet. Fleurs rouges .... ***Emilia fosbergii***

14) Involucre L 3-5 mm, de plusieurs séries de bractées inégales. Fleurs violacées ou mauves .... ***Vernonia cinerea***

4) Nervures toutes parallèles entre elles

6) Feuilles ovées, épaisses. Fleurs colorées (bleues ou blanches). Tiges fragiles .... **COMMELINACEAE** ***Commelina* spp.**

6) Feuilles fines. Fleurs très petites, non colorées.

7) Gaine foliaire soudée, souvent de section triangulaire .... **CYPERACEAE**

8) Fruit sphérique, dur, blanc .... ***Scleria* spp.**

8) Fruit non ainsi .... ***Cyperus* spp.**

(et ***Kyllinga* spp., *Torulinium odoratum*,** etc.)

7) Gaine foliaire fendue d'un côté, en général cylindrique ou aplatie (voir clef spéciale ci-après) .... **POACEAE**

Clef des Poaceae

1) Limbe foliaire plissé longitudinalement, ressemblant à une feuille de jeune palmier en réduction .... ***Setaria barbata***

1) Limbe non plissé longitudinalement

2) Limbe foliaire ové à ové-lancéolé, moins de 6 fois plus long que large, de longueur inférieure à 8 cm

3) Panicule large, à pédicelles filiformes. Noeuds inférieurs non radicants. Gaines foliaires hirsutes vers le haut. Limbe foliaire à marge lisse, arrondi et sans oreillettes à la base . ***Panicum trichoides***

3) Panicule de 5 à 12 épis denses et rapprochés. Noeuds inférieurs radicants. Gaines foliaires glabres. Limbe foliaire à marge scabre, portant à la base des oreillettes ciliées ... ***Brachiaria reptans***

2) Limbe foliaire plus de 6 fois plus long que large, en général plus long que 8 cm

3) Ligule nulle, remplacée par une ligne calleuse blanchâtre . ***Echinochloa colona***

3) Ligule développée, sous forme d'une membrane (nue ou frangée de poils) ou d'une ligne de poils (parfois une membrane doublée d'une ligne de poils)

4) Plante couchée ou très diffuse, couvrant rapidement le sol par des stolons ou de longues tiges couchées émettant des racines. Pas de touffes facilement individualisables.

5) Jeunes feuilles deux fois pliées. Feuilles adultes larges de 9 à 13 mm. Gaines foliaires nettement aplaties .... ***Paspalum conjugatum***

5) Jeunes feuilles enroulées en cornet. Feuilles adultes larges de 2 à 8 mm. Gaines foliaires cylindriques ou presque.

6) Epis filiformes. Epillets L 2-2,5 mm, sans arête ...... ***Cynodon dactylon***

6) Epis assez gros. Epillets L 3-6 mm, à longues arêtes droites

7) Pédoncules des épis glabres .... ***Dichanthium annulatum***

7) Pédoncules des épis à poils courts très serrés (observer en contre-jour) .... ***Dichanthium aristatum***

4) Plante érigée, ou plus ou moins étalée à diffuse, mais à touffes bien individualisées, indépendantes les unes des autres.

5) Jeunes feuilles pliées en deux avant leur étalement. Epis digités. Gaines foliaires nettement aplaties.

6) Epis pourprés, très souples, à nombreuses arêtes souples .... ***Chloris inflata***

6) Epis vert clair, assez rigides. Epillets de plusieurs fleurs, sans arêtes .... ***Eleusine indica***

5) Jeunes feuilles enroulées en cornet avant leur étalement.

6) Feuilles adultes ne dépassant pas 8 mm de large.

7) Feuilles adultes ne dépassant jamais 6 cm de long. Epis petits, érigés, appliqués contre l'axe commun vertical .... ***Brachiaria erucaeformis***

7) Feuilles adultes dépassant le plus souvent 10 cm de long. Inflorescence d'un autre type.

8) Feuilles très longues (25 à 50 cm) et très étroites, très progressivement rétrécies vers l'extrémité, plus ou moins arquées-retombantes .... ***Sporobolus indicus***
Sporobolus jacquemontii

8) Feuilles ne dépassant pas 20 cm de long en général

9) Ligule membraneuse frangée, ne dépassant pas 1,5 mm

10) Fleurs dans des involucres indurés et épineux, réunis en gros épis simples. Gaines foliaires nettement aplaties .... ***Cenchrus echinatus***

10) Fleurs sur une longue panicule d'épis filiformes. Gaines foliaires presque cylindriques .. ***Leptochloa filiformis***

9) Ligule membraneuse non frangée, longue de 1 à 5 mm. Fleurs en épis grêles plus ou moins digités.

10) Feuilles veloutées sur les deux faces. Epis portant le plus souvent de longs poils épars (observer en contrejour) .... ***Digitaria horizontalis***

10) Feuilles glabres ou presque. Epis sans longs poils .... ***Digitaria ciliaris***
Digitaria bicornis

6) Feuilles adultes dépassant très nettement 8 mm de large

7) Gaines foliaires hirsutes, à nombreux poils raides et piquants

8) Epillets très petits, ronds, en panicules terminales d'épis. Nervure foliaire centrale verte .... ***Paspalum paniculatum***

8) Epillets incrustés dans des épis axillaires simples, articulés, en fuseaux rigides. Nervure foliaire centrale blanche, surtout vers la base .... ***Rottboellia cochinchinensis***

7) Gaines foliaires glabres ou poilues, mais sans nombreux poils raides piquants

8) Feuilles à la fois flasques et très veloutées .... ***Paspalum paniculatum***

8) Feuilles ne réunissant pas ces deux caractères

9) Feuilles dégageant une odeur de citron par écrasement .... ***Cymbopogon citratus***

9) Feuilles sans odeur particulière

10) Panicule d'épillets longuement soyeux, blanchâtres à brunâtres .... ***Digitaria insularis***

10) Epillets non longuement soyeux

11) Epillets brun-doré à brun foncé, ridés ..... ***Brachiaria fasciculata***

11) Epillets verts, verdâtres, blanchâtres ou ± pourpres

12) Noeuds des chaumes nettement veloutés. Feuilles dépassant rarement 25 cm de long. Epillets en général teintés de pourpre

13) Epillets ± hirsutes, chacun soutenu par un cal annulaire (loupe nécessaire) ..... ***Eriochloa polystachya***

13) Epillets glabres ou presque, sans cal annulaire .... ***Brachiaria purpurascens***

12) Noeuds des chaumes glabres, ou du moins non veloutés. Feuilles dépassant nettement 25 cm de long

13) Ligule membraneuse non frangée, mais doublée d'une ligne ± nette de poils. Epillets ronds, très serrés

14) Feuilles rigides, ascendantes ou érigées. Epillets Ø ≈ 2,5 mm, vert-amande, parfois teintés de pourpre .... ***Paspalum virgatum***

14) Feuilles assez flasques, arquées-retombantes. Epillets Ø ≈ 1 mm .... ***Paspalum paniculatum***

13) Ligule membraneuse-frangée, sans ligne de poils. Epillets allongés, assez distants

14) Epillets glabres ou presque, L ± 3 mm . ***Panicum maximum***

14) Epillets velus, L 5-6 mm

15) Rhizome présent .... ***Sorghum halepense***

15) Rhizome absent .... ***Sorghum verticilliflorum***

Broad-leaf weeds
Mauvaises herbes à feuilles larges

○ clichés J. Fournet ● clichés J. L. Hammerton

1

BLECHUM PYRAMIDATUM (Lam.) Urb.
Fam : ACANTHACEAE
Syn. : *Blechum brownei* Juss.

Vern. names : *John bush, Marsh miller, Wild hops*

Noms vern. : *Jounou kasé, Zèb savann, Genou cassé, Herbe savane*

Range / Aire : *Pantropical. All islands.* Toutes îles.

A perennial herb, with ascending shoots from ± prostrate stems. Lvs opposite, elliptic or ovate, ± hairy, L 3-6 cm × B → 2 cm ; apex acute or blunt. Petioles short, L 3-8 mm. Inflor. a terminal, pyramidal, erect spike with large, opposite and decussate, overlapping ovate bracts, L 12-16 mm × B 8-10 mm. L flowers ⩾L bracts. Cor. tubular, 5-lobed, pale blue (sometimes white), L ≈ 15 mm. Capsule ovoid, usually 16-seeded.

Ecology and Biology : *Waste places, natural pastures and open fields at low elevations. Rainfall 1100-1900 mm. Propagated by seeds and by stem cuttings.*

Main infested crops : *All crops, except established bananas.*

Herbe pérenne, à rameaux ascendants issus de tiges ± prostrées. F. opposées, elliptiques ou ovées, ± poilues, L 3-6 cm × l → 2 cm ; apex aigu ou obtus. Pétioles courts, L 3-8 mm. Inflor. en épi terminal droit, pyramidal, à larges bractées ovées, opposées et décussées, imbriquées, L 12-16 mm × l 8-10 mm. L fleurs ⩾L bractées. Cor. tubulaire, à 5 lobes, bleu pâle (parfois blanche), L ≈ 15 mm. Capsule ovoïde, en général à 16 graines.

Ecologie et Biologie : Lieux abandonnés, savanes, cultures ouvertes à basse altitude. Pluies 1100-1900 mm. Propagation par graines et par fragments de tiges.

Principales cultures infestées : Toutes cultures, sauf Bananiers adultes.

2

RUELLIA TUBEROSA L.
Fam : ACANTHACEAE

Vern. names : *Duppy gun, Heart bush, Many roots, Minnie roots, Menow weed, Monkey gun*

Noms vern. : *Chandélyé, Patat chandélyé, Patat makak, Ipéka bata, Chandelier, Patate chandelier, Patate macaque, Ipéca bâtard*

Range / Aire : *Continental and insular tropical America.* Amérique tropicale continentale et insulaire.

A somewhat woody perennial herb, 15 to 60 cm high, with tuber-bearing roots. Stems 4-angled, erect, hairy when young. Lvs opposite, obovate to elliptic, apex obtuse or rounded, base tapering into the petiole. Flowers in branched inflor. Cor. tubular, funnel-shaped, blue-violet, or occasionally white, L 3.5-5 cm × ∅ ≈ 3 cm. Capsule a narrow cylinder, L 2 cm, 10- to 15-seeded.

Ecology and Biology : *Rainfall < 1800 mm, mainly on chromic vertisols , vertic cambisols and calcic phaeozems at low elevations. Propagated by seeds and perhaps by tubers.*

Main infested crops : *Sugarcane, root crops, improved and natural pastures.*

Herbe ou sous-arbrisseau pérenne, H 15-60 cm, à racines portant des tubercules. Tiges à 4 angles, érigées, les jeunes poilues. F. opposées, obovées à elliptiques, obtuses ou arrondies à l'extrémité, progressivement rétrécies à la base. Fleurs en inflor. ramifiées. Cor. en entonnoir, bleu-violacé, parfois blanche, L 3,5-5 cm × ∅ ≈ 3 cm. Capsule étroitement cylindrique, L 2 cm, à 10-15 graines.

Ecologie et Biologie : Pluviométrie < 1800 mm. Surtout sur vertisols, sols vertiques et sols calciques mélanisés à basse altitude. Propagation par graines et peut-être par tubercules.

Principales cultures infestées : Canne, Racines, Prairies naturelles et implantées.

1 1

2 2

3

TELIOSTACHYA ALOPECUROIDEA
(Vahl) Nees
Fam : ACANTHACEAE
Syn. : *Lepidagathis alopecuroidea* (Vahl) R. Br.

Vern. names : *None known*
Noms vern. : *Ké a rénar, Queue de renard*

Range / Aire : *Tropical America. Mountainous islands.* Amérique tropicale. Iles montagneuses.

Diffuse, annual or perennial herb, H 10-60 cm. Stems often prostrate or straggling, producing erect, 4-angled branches, red above the nodes. Lvs opposite, entire, finely hairy along the margin, elliptic or elliptic-lanceolate, L 2-8 cm × B 1-3(4) cm. Apex acuminate, base attenuate into the petiole. Flowers in terminal, erect, very dense, cylindrico-conical, with many overlapping bracts. Corolla tubular, white or mauve, 2-lipped, L 5-8 mm. Capsule 4-angled, L 4-5 mm × B 1-1.5 mm. Seeds 4, ∅ ≈ 1 mm.

Ecology and Biology : *Undergrowth of the rainforest. Shady places at middle to high elevations. Propagated by seeds and probably by stem cuttings.*
Main infested crops : *Upland bananas, other crops in forest clearings.*

Herbe diffuse, annuelle ou pérenne, H 10-60 cm. Tiges souvent couchées ou rampantes, émettant des rameaux droits, à 4 angles, rougeâtres au-dessus des noeuds. F. opposées, entières, finement ciliées, elliptiques ou elliptiques-lancéolées, acuminées à l'apex, rétrécies progressivement à la base, L 2-8 cm × l 1-3(4) cm. Pétiole L 0,5-2 cm. Fleurs en épis terminaux, droits, très denses, cylindro-coniques, à nombreuses bractées imbriquées. Corolle en tube, blanche ou mauve, L 5-8 mm, à 2 lèvres. Capsule à section carrée, L 4-5 mm × l 1-1,5 mm. Graines 4, ∅ ≈ 1 mm.

Ecologie et Biologie : Sous-bois de la forêt dense humide. Lieux ombragés à moyenne et haute altitude. Propagation par graines et sans doute par fragments de tiges.
Principales cultures infestées : Bananeraies de montagne. Autres cultures dans les abattis.

4

TRIANTHEMA PORTULACASTRUM L.

Fam : AIZOACEAE

Vern. names : *Horse purslane*
Noms vern. : *Poupyé (ou Koupyé) kouwan, Pourpier courant*

Range / Aire : *Pantropical. All islands.* Toutes îles.

Perennial herb, rather fleshy, almost prostrate, much branched. Stems L → 1 m. Lvs opposite, one of a pair larger than the other, broadly obovate, elliptic or rounded, wavy, L 1-4.5 cm × B 3-35 mm. Base attenuate into the petiole ; apex rounded or notched. Petioles L 5-25 mm, sheathing the stem at base. Flowers sessile, axillary, ± enclosed in the petiolar sheaths. Perianth simple, with 5 lobes, purple-rose inside, L 3-5 mm. Capsule L 4-5 mm. Seeds kidney-shaped, reddish brown to black and rough.

Ecology and Biology : *Sandy and loamy soils, mostly in dry coastal areas. Propagated by seeds and by stem cuttings.*
Main infested crops : *Vegetables.*

Herbe annuelle ou pérenne, assez charnue, presque prostrée, très ramifiée. Branches L → 1 m. F. opposées, celles d'une même paire inégales, largement obovées, elliptiques ou rondes, ondulées, L 1-4,5 cm × l 3-35 mm. Base progressivement rétrécie ; apex arrondi ou émarginé. Pétiole L 5-25 mm, engainant la tige à la base. Fleurs sessiles, axillaires, ± incluses dans les gaines pétiolaires. Périanthe simple, à 5 lobes rose-pourpre à l'intérieur, L 3-5 mm. Capsule L 4-5 mm. Graines réniformes, brun rougeâtre à noires, rugueuses.

Ecologie et Biologie : Zones côtières sableuses et limoneuses, en général sèches. Propagation par graines et par fragments de tiges.
Principales cultures infestées : Maraîchage.

3 ● 3 ●

4 ●

4 ●

5

ACHYRANTHES ASPERA L.
Fam : AMARANTHACEAE
Syn. : *Achyranthes indica* Mill.

Vern. names : *Devil's horsewhip, Hugmeclose, Manbetterman, Soldier rod*
Noms vern. : *Kolan, Jandam, Ké a rat, Collant, Gendarme, Queue de rat*

Range / Aire : *Pantropical. All islands.* Toutes îles.

An erect annual herb, branching, to ≈ 1 m high. Lvs opposite, roundish-obovate, apex obtuse, base acute, L 3-7 cm × B 2-7 cm, pubescent. Inflor. a terminal erect spike L → 30 cm. Flowers small, green. Perianth segments L 3.5-6 mm. Fruits small, dry and hard, brownish, enclosed in spine-tipped bracts that readily adhere to animals and passers-by.

Ecology and Biology : *Waste places and open fields at low to middle elevations. Propagated by spine-tipped fruits.*
Main infested crops : *Most crops.*

Herbe droite, ramifiée, jusqu'à ≈ 1 m de haut. F. opposées, arrondies-obovées ; apex obtus, base aiguë, L 3-7 cm × l 2-7 cm, pubescentes. Inflor. en épi terminal droit, L → 30 cm. Fleurs petites, vertes. Segments du périanthe L 3,5-6 mm. Fruits petits, secs et durs, brunâtres, inclus dans des bractées à pointe épineuse, qui s'accrochent facilement aux animaux et aux passants.

Ecologie et Biologie : Lieux abandonnés et cultures ouvertes à basse et moyenne altitude. Propagation par les fruits épineux
Principales cultures infestées : La plupart.

6

ALTERNANTHERA SESSILIS (L.) R. Br.
Fam : AMARANTHACEAE

Vern. names : *Rabbit meat*

Noms vern. : *Maglwa, Magloire*

Range / Aire : *Pantropical. All islands.* Toutes îles.

A slender, prostrate and spreading herb, sometimes ascending, branched, the branches often rooting at the nodes. Young stems usually pubescent in 2 lines, otherwise glabrous. Lvs opposite, variable, glabrous, usually elliptical to moderately spathulate, L 1.5-5 cm × B 5-15 mm. Apex rounded, obtuse or acute. Flowers small, whitish or pinkish, in sessile, axillary clusters ∅ ≈ 5 mm. Perianth segments L ≈ 2 mm. Small unilocular fruit protruding from the persistent perianth.

Ecology and Biology : *Rather moist soils at low to middle elevations. Propagated by seeds and stem cuttings.*
Main infested crops : *Sugarcane, root crops, bananas.*

Herbe grêle, prostrée et radiante, parfois ascendante, ramifiée, les branches se racinant souvent aux noeuds. Jeunes rameaux portant en général 2 lignes de poils, mais sinon glabres. F. opposées, variables, glabres, en général elliptiques à un peu spatulées, L 1,5-5 cm × l 5-15 mm. Apex arrondi, obtus ou aigu. Fleurs petites, en glomérules axillaires sessiles, blanchâtres ou rosées, ∅ ≈ 5 mm. Segments du périanthe L ≈ 2 mm. Petit fruit à une seule loge dépassant du périanthe persistant.

Ecologie et Biologie : Sols assez humide à basse et moyenne altitude. Propagation par graines et fragments de tiges.
Principales cultures infestées : Canne, Racines, Bananier.

5

5

6

5

6

7

AMARANTHUS DUBIUS Mart.
Fam : AMARANTHACEAE

Vern. names : *Bhaji, Calalu, Calaloo, Spinach*

Noms vern. : *Zépina, Zépina péyi, Epinard, Epinard pays*

Range / Aire : *Pantropical. All islands.* Toutes îles.

An annual or short-lived perennial herb, very variable in height and habit. H 0.30-0.75(-1.50) m. Stem and branches somewhat fleshy. Lvs alternate, rhombic-ovate, L 3-10 cm, with an acute or obtuse apex, borne on longish petioles. Stem usually pinkish with fine curled hairs. Flowers very small, greenish, in slender, often drooping, dense, terminal and axillary spikes, and in compact axillary clusters. Perianth segments and stamens 5. Seed ∅ ⩽ 1 mm, shiny, black or brown.

Ecology and Biology : *Waste places and fields in most environments. Prefers rich soils. Propagated-by seeds.*

Main infested crops : *All crops, except established bananas.*

Herbe annuelle ou brièvement pérenne, très variable de taille et de port. H 0,30-0,75(-1,50) m. Tige et branches assez charnues. F. alternes, ovées-losangiques, L 3-10 cm, aiguës ou obtuses à l'extrémité. Pétiole assez long. Tige en général rosâtre, avec des poils fins et bouclés. Fleurs très petites, verdâtres, en épis denses terminaux et axillaires, souvent retombants, et en glomérules axillaires compacts. Segments du périanthe et étamines 5. Graine ∅ ⩽ 1 mm, luisante, noire ou brune.

Ecologie et Biologie : Lieux abandonnés et champs, dans la plupart des milieux. Préfère les sols riches. Propagation par graines.

Principales cultures infestées : Toutes cultures, sauf bananiers adultes.

8

AMARANTHUS SPINOSUS L.
Fam : AMARANTHACEAE

Vern. names : *Prickly calalu, Prickly caterpillar, Spiny calalu, Wild calalu*

Noms vern. : *Zépina pikan, Zépina kochon, Zépina-wouj, Epinard piquant, Epinard cochon, Epinard-rouge*

Range / Aire : *Pantropical. All islands.* Toutes îles.

An erect annual herb, H → 1 m, usually much branched. Stem stoutish, somewhat fleshy, usually reddish, and more or less ridged, with a pair of sharp stipular spines at each node. Lvs alternate, rhombic-ovate, L → 8 cm, the upper lvs usually smaller and narrower. Petioles long, slender, and grooved. Flowers green, in slender, terminal and axillary spikes, and in compact axillary clusters. Perianth segments and stamens 5. Seed ∅ ⩽ 1 mm, shiny black. Resembles A. dubius, *except for the spines.*

Ecology and Biology : *Waste places and open crops at low elevations. Propagated by seeds.*

Main infested crops : *Vegetable, sugarcane, root crops.*

Herbe annuelle droite, H → 1 m, en général très ramifiée. Tige assez grosse, un peu charnue, habituellement rougeâtre et plus ou moins ridée, portant une paire d'épines stipulaires à chaque noeud. F. alternes, ovées-losangiques, L → 8 cm, les supérieures d'habitude plus petites et plus étroites. Pétiole long, grêle, canaliculé. Fleurs vertes, en épis grêles terminaux et axillaires, et en glomérules axillaires compacts. Segments du périanthe et étamines 5. Graine ∅ ≈ 1 mm, d'un noir brillant. Très voisin de *A. dubius,* sauf pour les épines.

Ecologie et Biologie : Lieux abandonnés et cultures ouvertes à basse altitude. Propagation par graines.

Principales cultures infestées : Maraîchage, Canne, Racines.

7 ●

7 ●

8 ●

7 ●

8 ●

9

AMARANTHUS VIRIDIS L.

Fam : AMARANTHACEAE

Syn. : *Amaranthus gracilis* Desf.

Vern. names : *Bhaji, Calaloo, Calalu, Pigweed, Spinach, White caterpillar*
Noms vern. : *Zépina ranpan, Epinard rampant*

Range / Aire : *Pantropical. All islands.* Toutes îles.

An erect, diffuse or prostrate annual herb, variable in height and degree of branching, H 10 cm-1 m. Stem and branches somewhat fleshy. Lvs alternate, ovate to rhombic-ovate, always notched at the apex, L 1-8 cm. Petioles long and slender. Flowers green, in slender axillary and terminal spikes, and in compact axillary clusters. Perianth segments and stamens 3. Seed ∅ ⩽ 1 mm, brown or reddish brown.

Ecology and Biology : *Waste places and open crops at low to middle elevations. Propagated by seeds.*
Main infested crops : *Vegetables, root crops.*

Herbe annuelle droite, diffuse ou couchée, variable quant à la taille et au nombre de branches, H 10 cm-1 m. Tige et branches assez charnues. F. alternes, ovées à ovées-losangiques, toujours échancrées à l'extrémité, L 1-8 cm. Pétiole long et grêle. Fleurs vertes, en épis grêles axillaires et terminaux, et en glomérules axillaires compacts. Segments du périanthe et étamines 3. Graine ∅ ⩽ 1 mm, brune ou brun-rougeâtre.

Ecologie et Biologie : Lieux abandonnés et cultures ouvertes à basse et moyenne altitude. Propagation par graines.
Principales cultures infestées : Maraîchage, Racines.

10

CYATHULA PROSTRATA (L.) Blume

Fam : AMARANTHACEAE

Vern. names : *None known*

Noms vern. : *Aucun connu*

Range / Aire : *Old World (?), Jamaica. Appeared in the lesser Antilles by the end of the XIXth century. Nowadays rather common in most mountainous islands (at least Guad, Dom, Mart).* Ancien Monde (?), Jamaïque. Apparu aux Petites Antilles à la fin du XIXe siècle. De nos jours assez commun dans la plupart des îles montagneuses (au moins Guad, Dom, Mart).

An annual herb, prostrate at the base, then ascending or even erect, H 30-60 cm. Stem cylindrical, but grooved, 4-angled near apex, slightly pubescent. Lvs opposite, smooth, green, often tinged with red, ovate, L 2-8 cm × B 1.5-4 cm. Apex acute ; base attenuate or rounded. Petiole L 3-5 mm. Spikes slender, terminal, interrupted, erect but usually drooping at apex, L 5-20 cm. Fertile and sterile flowers mixed in small groups (cymules). Sterile flowers terminated with hooked spines forming a small closed fan. Fruit with only one seed.

Ecology and Biology : *Mostly moist shady places at middle elevations. Propagated by seeds, or by the prickly fruits.*
Main infested crops : *Bananas (mostly upland).*

Herbe annuelle, couchée à la base, puis ascendante ou même droite, H 30-60 cm. Tige cylindrique, mais sillonnée-tétragonale vers l'extrémité, un peu pubescente. F. opposées, douces au toucher, vertes, souvent teintées de rouge, ovées, L 2-8 cm × 1 1,5-4 cm. Apex aigu et mucroné ; base rétrécie ou arrondie. Pétiole L 3-5 mm. Fleurs fertiles et stériles en mélange dans de petits groupes (cymules), sur des épis grêles, terminaux, interrompus, droits, mais habituellement penchés à l'extrémité. Fleurs stériles terminées par des épines crochues, disposées en éventail fermé. Une seule graine par fruit.

Ecologie et Biologie : Surtout lieux ombragés et frais en altitude moyenne. Propagation par graines, ou par les fruits épineux.
Principales cultures infestées : Bananeraies, surtout de montagne.

9 ●

10 ●

11

CALADIUM BICOLOR (Ait.) Vent.
Fam : ARACEAE

Vern. names : *Lucky plant, Wild eddoe, Caladium*
Noms vern. : *Madè bata, Ti madè, Calalou sauvage, Chevalier rouge, Palette du peintre*

Range / Aire : *Exact origin not known. Cultivated, and, as an escape, becoming weedy.* Origine exacte inconnue. Cultivé pour l'ornement, et naturalisé.

Stemless, glabrous perennial herb, the lvs arising from a subterranean corm. Petioles L 15-30 cm, sheathing at base. Blades rather flaccid, peltate, ± triangular-ovate, L 10-35 cm × B 7-25 cm, acuminate at apex, deeply cordate at base, variegated with various colours (mainly red and green, sometimes white and green in the wild state) above, glaucous beneath. Flowers very small, crowded on a fleshy spadix enclosed in a clasping spathe L 7-10 cm.

Ecology and Biology : *Ferrallitic soils at low to middle elevations, mainly on the windward side of the islands.*
Main infested crops : *Sugarcane, root crops.*

Herbe pérenne glabre, sans tige, les F. naissant d'une sorte de bulbe souterrain. Pétiole L 15-30 cm, engainant à la base. Limbe assez flasque, pelté, ± triangulaire-ové, L 10-35 cm × 1 7-25 cm, acuminé à l'apex, profondément cordé à la base, panaché de couleurs diverses en dessus (surtout rouge et vert, parfois blanc et vert à l'état sauvage), glauque en dessous. Fleurs très petites et très serrées sur un spadice charnu soutenu par une spathe engainante L 7-10 cm.

Ecologie et Biologie : Sols ferrallitiques à basse et moyenne altitude, surtout au vent.
Principales cultures infestées : Canne, Racines.

12

ACANTHOSPERMUM HISPIDUM P. DC.
Fam : ASTERACEAE

Vern. names : *Bristly starbur*
Noms vern. : *Zèb savann, Herbe savane*

Range / Aire : *Tropical America, introduced into Africa. Frequent in StT, StCr, Mont, Guad, Tob.* Amérique tropicale, introduit en Afrique. Fréquent à StT, StCr, Mont, Guad, Tob.

An annual herb, loosely erect, branched, H 25-50 cm. Branches cylindrical, hairy ; branching dichotomous. Lvs. opposite, obovate or oblanceolate, sessile, coarsely toothed, hairy on both surfaces, L 2-5 cm × B 1-2.5 cm. Flower heads solitary, axillary, ∅ ≈ 5 mm at flowering time, 10-15 mm at fruiting time. Flowers of the periphery of each head 5-8, ligulate, female, those of the disc 4-6. External bracts of the involucre soft, the internal ones stiffer, L 4-5 mm when ripe, each one enclosing a ligulate floret, and bearing 2 large spreading spines L 3-5 mm, one straight, the other hooked, and many smaller hooked spines. Achenes oblong, compressed, without pappus, arranged like the branches of a star.

Ecology and Biology : *Middle elevations on the leeward side of the islands. Propagated by achenes, which may be carried by clothing, fur, etc.*
Main infested crops : *Vegetables.*

Herbe annuelle, couchée ou diffuse, ramifiée, H 25-50 cm. Branches cylindriques, poilues, à ramification dichotomique. F. opposées, obovées ou oblancéolées, sessiles, grossièrement dentées, poilues sur les deux faces, L 2-5 cm × 1 1-2,5 cm. Capitules solitaires, axillaires, ∅ ≈ 5 mm pendant la floraison, 10-15 mm au fruit. Fleurs du pourtour du capitule 5-8, ligulées, femelles, celles du disque 4-6. Bractées externes de l'involucre herbacées, les internes plus rigides, L 4-5 mm à maturité, enfermant chacune une fleur en ligule, et portant 2 grosses épines étalées, L 3-5 mm, l'une droite, l'autre crochue, et de nombreuses épines plus petites, crochues. Akènes oblongs, comprimés, sans aigrette, disposés en étoile.

Ecologie et Biologie : Moyenne altitude sous le vent. Propagation par les akènes, qui peuvent être transportés par les vêtements, la fourrure des animaux, etc.
Principales cultures infestées : Maraîchage.

11

12

12

12

13

AGERATUM CONYZOIDES L.

Fam : ASTERACEAE

Vern. names : *Blue top, Goat weed, Wild ageratum, Tropic ageratum*

Noms vern. : *Zèb a fanm, Zèb a sosyé, Pendou, Ti pendou, Zèb a pisé, Bouton blé, Bouton blan, Herbe à femme, Herbe à sorcier, Pain doux, Petit pain doux, Herbe à pisser, Bouton bleu, Bouton blanc*

Range / Aire : *Pantropical. All islands.* Toutes îles.

An erect herb H 15-60(-100) cm, branched or unbranched. Stems and branches sparsely hairy. Lvs opposite, the upper ones sometimes alternate, ovate or triangular, thin in texture, somewhat corrugated, L 2-5 cm × B 2-4 cm, with scattered hairs on both surfaces. Petioles hairy. Flower heads discoid (without ligulate florets), L 6-7 mm × ∅ ≈ 6 mm, in close groups (corymbs). Cor. blue, bluish, or whitish, L 2-3 mm. Achenes L ≈ 2 mm, with a pappus of 5 white scales. Not to be confused with Vernonia cinerea.

Ecology and Biology : *Disturbed soils, and fields, in most environmental conditions. Prefers rich soils. Propagated by windborne achenes.*

Main infested crops : *All crops.*

Herbe érigée, H 15-60(-100) cm, ramifiée ou non. Tiges et branches peu poilues. F. opposées, les supérieures parfois alternes, ovées ou triangulaires, de texture fine, un peu gaufrées, L 2-5 cm × l 2-4 cm, à poils épars sur les 2 faces. Pétioles poilus. Capitules discoïdes (sans fleurs en ligule), L 6-7 mm × ∅ ≈ 6 mm, en groupes serrés (corymbes). Cor. bleue, bleuâtre, ou blanchâtre, L 2-3 mm. Akènes L ≈ 2 mm, à aigrette de 5 écailles blanches. Ne pas confondre avec *Vernonia cinerea.*

Ecologie et Biologie : Sols remués, et champs, dans la plupart des milieux. Préfère les sols riches. Propagation par les akènes transportés par le vent.

Principales cultures infestées : Toutes cultures.

14

BIDENS CYNAPIIFOLIA HBK.

Fam : ASTERACEAE

Syn. : *Bidens bipinnatus* auct.

Vern. names : *Spanish needle*

Noms vern. : *Zégwiy jòn, Aiguille jaune.*

Range / Aire : *Northern south America, Antilles.* Nord de l'Amérique du Sud, Antilles.

An annual herb, erect or spreading, branched, H 20 cm-1 m. Branches ribbed, 4-angled, glabrous or nearly so. Lvs opposite, L ≈ 20 cm, bipinnately dissected, with 2-3 pairs of lateral segments, the terminal segment the largest. All segments coarsely toothed. Both surfaces with scattered hairs. Flower heads solitary, or sometimes in small panicles. Two varieties are recognized. In var. portoricensis, *the ligules of the ray florets are generally absent, and the achenes are glabrous, with 4 awns. Var.* cynapiifolia *has 5-10 yellow ligules L ≈ 7 mm × B ≈ 3 mm, and the achenes from the periphery are hirsute, with 5-6 awns. In both varieties, the achenes are about 12 mm long, with bearded awns L 3 mm.*

Ecology and Biology : *Fields and waste places at low to middle elevations. Propagated by achenes, which may be carried by clothing, fur, etc.*

Main infested crops : *Root crops, vegetables.*

Herbe annuelle, droite ou diffuse, ramifiée, H 20 cm-1 m. Branches côtelées, à 4 angles, glabres ou presque. F. opposées, L ≈ 20 cm, divisées en segments bipinnatifides, à 2-3 paires de segments latéraux, le segment terminal plus grand. Tous les segments grossièrement dentés. Poils épars sur les 2 faces. Capitules solitaires, ou parfois en petites panicules. Deux variétés sont reconnues. Dans la var. *portoricensis,* les fleurs en ligule sont normalement absentes, et les akènes sont glabres, à 4 arêtes. La var. *cynapiifolia* a 5-10 ligules jaunes L ≈ 7 mm × l ≈ 3 mm, et les akènes du pourtour sont hirsutes, à 5-6 arêtes. Dans les deux variétés, les akènes mesurent 12 mm, et les arêtes barbelées 3 mm.

Ecologie et Biologie : Cultures et lieux abandonnés à basse ou moyenne altitude. Propagation par les akènes, qui peuvent être transportés par les vêtements, la fourrure des animaux, etc.

Principales cultures infestées : Racines, Maraîchage.

13 ●

13 ○

13 ○

14 ●

15

BIDENS PILOSA L.
BIDENS ALBA (L.) DC.
Fam : ASTERACEAE

Vern. names : *Beggar tick, Blackjack, Duppy needles, Needle grass, Spanish needle, Railway daisy*
Noms vern. : *Zégwiy, Zèb zégwiy, Aiguille, Herbe (z')aiguille*

Range / Aire : *Pantropical. All islands.* Toutes îles.

An annual branched herb H → 90 cm, glabrous or nearly so. Stem 4-angled. Lvs opposite, pinnately divided into 3 or 5 (7) ovate to ovate-lanceolate, serrate segments, the terminal one much the largest, L → 8 cm × B 3.5 cm. Petioles L 1-4 cm. At least 2 varieties are recognized. B. pilosa *has yellow discoid flower heads ∅ 6-10 mm, the ligules of the ray florets absent.* B. alba *has flower heads with 5-6 white ligules. Achenes are linear, straight or nearly so, L 5-9 mm, awned, with 2 (3-4) barbed awns that stick to clothing and fur.*

Ecology and Biology : *Ruderale of waste places, occasionally a weed, in various environments. Propagation : see* B. cynapiifolia
Main infested crops : *All crops.*

Herbe annuelle, ramifiée, H → 90 cm, glabre ou presque. Tige à 4 angles. F. opposées, pinnatifides ou pennées, à 3-5(7) segments ovés à ovés-lancéolés, dentés en scie, le terminal nettement plus grand, L → 8 cm × 1 3,5 cm. Pétiole L 1-4 cm. Deux variétés au moins sont reconnues. *B. pilosa* a des capitules discoïdes (sans fleurs en ligule) jaunes L 10-13 mm × ∅ ≈ 6-10 mm. *B. alba* présente 5-6 ligules blanches. Akènes linéaires, droits ou presque, L 5-9 mm, à 2(3-4) arêtes barbelées qui s'accrochent aux vêtements, et à la fourrure des animaux.

Ecologie et Biologie : Rudérale des lieux abandonnés, parfois dans les cultures, dans des situations écologiques variées. Propagation : voir *B. cynapiifolia.*
Principales cultures infestées : Toutes cultures.

16

EUPATORIUM ODORATUM L.

Fam : ASTERACEAE
Syn. : *Chromolaena odorata* (L.) King et Robinson

Vern. names : *Christmas bush, Jack in the bush*

Noms vern. : *Fléri Nwèl, Géri tout, Zèb a chat, Lang a chat, Fleurit Noël, Guérit tout, Herbe à chat, Langue de chat*

Range / Aire : *Tropical America. Now pantropical. All islands.* Amérique tropicale. Devenu pantropical. Toutes îles.

Sweet-scented shrub, sometimes forming dense thickets, H 0.80-2 m (rarely more). Stems robust, cylindrical, striate-channelled, with short hairs. Lvs opposite, triangular, L 5-10 cm × B 4-8 cm. Apex acute ; base truncate. Margin coarsely toothed in the lower half. Basal ascending nerves 3. Blade hairy on both surfaces. Petiole L 1-2 cm. Inflor. (corymb) terminal of many cylindrical flower heads, L 8-10 mm × ∅ 3-4 mm. Involucral bracts elliptical, darkpointed, in several rows, placed like fish scales. Flowers tubular, pale mauve to white. Achenes black, linear, L ≈ 5 mm, 3-angled. Pappus of white bristles L 5 mm.

Ecology and Biology : *Moderately rainy to rather dry areas. Propagated by windborne achenes.*
Main infested crops : *Improved and natural pastures, orchards. Rarely a problem in the Lesser Antilles.*

Arbrisseau d'odeur agréable, formant parfois des fourrés denses, H 0,80-2 m (rarement plus haut). Tiges robustes, cylindriques, striées-cannelées, à poils courts. F. opposées, triangulaires, L 5-10 cm × 1 4-8 cm. Sommet aigu ; base tronquée. Marge grossièrement dentée dans le bas. Nervures basales ascendantes 3. Limbe poilu sur les deux faces. Pétiole L 1-2 cm. Inflor. terminale (corymbe) de nombreux capitules cylindriques, L 8-10 mm × ∅ 3-4 mm. Bractées elliptiques, à sommet plus sombre, en plusieurs séries, disposées en écailles de poisson. Fleurs en tube, mauve pâle à blanches. Akènes noirs, linéaires, L ≈ 5 mm, à 3 angles. Aigrette de soies blanches L 5 mm.

Ecologie et Biologie : Surtout régions moyennement ou peu arrosées. Propagation par les akènes transportés par le vent.
Principales cultures infestées : Prairies naturelles ou implantées, Vergers. Rarement un problème aux Petites Antilles.

15 ●

15 ●

15 ●

15 ●

16 ●

17

ECLIPTA PROSTRATA (L.) L.

Fam : ASTERACEAE
Syn. : *Eclipta alba* (L.) Hassk.

Vern. names : *False daisy, Conga lala, Conger lala*
Noms vern. : *Zèb a lank, Herbe à l'encre*

Range / Aire : *Pantropical. All islands.* Toutes îles.

An erect or diffuse herb often much branched, H 20-50(-90) cm. Stem and branches rough with short stiff hairs. Lvs opposite, sessile or nearly so, lanceolate or linear-lanceolate, narrowing at base, L 4-8 cm × B 1-3 cm (occasionally longer), entire or shallowly toothed ; both surfaces rough with scattered stiff hairs. Flower heads flattish, ∅ ≈ 7 mm, usually solitary (or 2-3) in the axils, on slender peduncles L 1-5 cm. Ray florets with a white ligule L ≈ 2 mm. Disc florets with a greenish cor. L 1.5 mm. Achenes wrinkled, oblong, L ≈ 2 mm, without awns or pappus.

Ecology and Biology : *Moist soils at low to middle elevations. Propagated by achenes.*
Main infested crops : *Vegetables, Sugarcane, Root crops.*

Herbe érigée ou diffuse, souvent très ramifiée, H 20-50(-90) cm. Tige et branches rugueuses, par des poils courts et raides. F. opposées, sessiles ou presque, lancéolées ou linéaires-lancéolées, rétrécies à la base, L 4-8 cm × l 1-3 cm (parfois plus longues), entières ou un peu dentées. Poils rudes épars sur les deux faces. Capitules axillaires un peu aplatis, ∅ ≈ 7 mm, en général solitaires (ou par 2-3), sur des pédoncules grêles L 1-5 cm. Fleurs du pourtour à petite ligule blanche L ≈ 2 mm. Fleurs du centre à cor. verdâtre L 1,5 mm. Akènes ridés, oblongs, L ≈ 2 mm, sans aigrette d'aucune sorte.

Ecologie et Biologie : Sols humides à basse et moyenne altitude. Propagation par les akènes.
Principales cultures infestées : Maraîchage, Canne, Racines.

18

ELEUTHERANTHERA RUDERALIS (Sw.) Sch. Bip.

Fam : ASTERACEAE
Syn. : *Ogiera ruderalis* Griseb., *Eleutheranthera ovata* Poit.

Vern. names : *Porter bush*
Noms vern. : *Zèb savann, Herbe savane*

Range / Aire : *Central and South America, Probably all islands of the Caribbean.* Amérique centrale, Amérique du Sud, sans doute toutes îles des Antilles.

An annual, pubescent (almost velvety) herb, H 15-60 cm. Stem cylindrical below, 4-angled above, with very long, spreading, drooping or decumbent branches. Lvs opposite, ovate or ovate-lanceolate, L 2-6 cm × B 1-3 cm, obtuse at the apex, rounded or obtuse at the base. Petiole short. Flower heads yellow, small (∅ 4-7 mm), on short slender peduncles (3-15 mm), with ± spreading leaflike bracts. Cor. L 2 mm. Achenes obovoid, L 2-3 mm, finely hairy, crowned by a small hair-fringed cupule. Not to be confused with Synedrella nodiflora.

Ecology and Biology : *Ferrallitic soils at low elevations. Rainfall 1800-3000 mm. Propagated by wind-borne achenes.*
Main infested crops : *Sugarcane, root crops (mainly yams)*

Herbe annuelle, H 15-60 cm, pubescente (presque veloutée), à tige cylindrique dans le bas, à 4 angles dans le haut, à branches très longues, étalées, tombantes, penchées ou couchées aux extrémités. F. opposées, ovées ou ovées-lancéolées, L 2-6 cm × l 1-3 cm, obtuses à la pointe, arrondies ou obtuses à la base. Pétiole court. Capitules jaunes, petits (∅ 4-7 mm), à pédoncules grêles et courts (3-15 mm), à bractées ± étalées et foliacées. Cor. L 2 mm. Akènes obovoïdes, L 2-3 mm, finement poilues, à aigrette en petite coupe frangée de poils. A ne pas confondre avec *Synedrella nodiflora*.

Ecologie et Biologie : Sols ferrallitiques à basse altitude. Précipitations 1800-3000 mm. Propagation par les akènes transportés par le vent.
Principales cultures infestées : Canne, Racines (surtout Igname).

17 ●

18 ●

17 ●

19

EMILIA FOSBERGII Nicholson
Fam : ASTERACEAE
Syn. : *Emilia coccinea* auct. mult., non Sweet

Vern. names : *Red tassel (flower), Cupid's paint brush, Cupid's shaving brush, Red thistle, Soldier's tassel, Rabbit butter, Rabbit meat*
Noms vern. : *Goutte de sang, Je sème à tous vents, Salade à lapin, Goutte de sang rouge*

Range / Aire : *Probably all islands.* Sans doute toutes îles.

An annual, erect herb, simple or poorly branched, usually pubescent, H 20-60 cm. Lvs alternate, the lower ones L 5-8(-12) cm, very variable, entire to pinnately divided ; base petiole-like, sometimes clasping the stem. Upper lvs sessile, oblong-lanceolate, sagittate, L 2-6 cm. Flower heads few, in small terminal groups (corymbs), L 10-13 mm × ∅ 5-7 mm at base (3 mm at the apex). Involucral bracts in a single row, linear, somewhat coherent. All florets tubular, crimson or orange-red ; cor. L ± 10 mm. Achenes 5-angled, brown, L 3-6 mm. Pappus of many smooth white bristles L 8-12 mm.

Ecology and Biology : *Open fields and waste places at low to middle elevations. Propagated by windborne achenes.*
Main infested crops : *Root crops, vegetables.*

Herbe annuelle, droite, non ou peu ramifiée, en général pubescente, H 20-60 cm. F. alternes, les inférieures L 5-8(-12) cm, très variables, entières à pinnatifides, la base simulant un pétiole parfois embrassant la tige. F. supérieures sessiles, oblongues-lancéolées, sagittées, L 2-6 cm. Capitules peu nombreux en petits groupes (corymbes) terminaux, L 10-13 mm × ∅ 5-7 mm à la base (3 mm à l'extrémité). Bractées de l'involucre linéaires, en une seule série, un peu soudées entre elles. Fleurs toutes en tube, cramoisies ou rouge-orangé ; cor. L ± 10 mm. Akènes à 5 angles, bruns, L 3-6 mm. Aigrette de nombreuses soies souples, blanches, L 8-12 mm.

Ecologie et Biologie : Rudérale, et dans les cultures ouvertes à basse et moyenne altitude. Propagation par les akènes transportés par le vent.
Principales cultures infestées : Racines, Maraîchage.

20

EMILIA SONCHIFOLIA (L.) DC.
Fam : ASTERACEAE

Vern. names : *Cupid's paint brush, Cupid's shaving brush, Grease bush, Jack oats, Sowthistle, Consumption weed*
Noms vern. : *Manjé lapen, Zèb a lapen, Je sème à tous vents, Herbe à lapin, Manger lapin, Salade à lapin, Goutte de sang rose*

Range / Aire : *Pantropical. All islands.* Toutes îles.

An annual herb, closely allied to Emilia fosbergii, *with a slender, ± branched stem. Lvs smaller than in the preceding species. Flower heads in terminal groups (corymb-like cymes). Heads L ≈ 12 mm × ∅ 3-5 mm at the base (2 mm above). Cor. pink or mauve, longer than the involucral bracts by only 1 mm. Achenes ribbed, L 2 mm, with a smooth white pappus L 5-6 mm.*

Ecology and Biology : *Open fields and waste places at low to middle elevations. Propagated by windborne achenes.*
Main infested crops : *All crops.*

Herbe annuelle, très proche d'*Emilia fosbergii,* droite, H 15-50 cm, à tige grêle, ± ramifiée, légèrement pubescente. F. plus petites que dans l'espèce précédente. Capitules en groupes (cymes corymbiformes) terminaux. Capitules L ≈ 12 mm × ∅ 3-5 mm à la base (2 mm à l'extrémité). Cor. roses ou mauves, ne dépassant les bractées de l'involucre que de 1 mm. Akènes côtelés, L 2 mm, à aigrette souple, blanche, L 5-6 mm.

Ecologie et Biologie : Rudérale, et dans les cultures ouvertes à basse et moyenne altitude. Propagation par les akènes transportés par le vent.
Principales cultures infestées : Toutes cultures.

19 ●

19 ●

19 ●

19 ●

20 ●

20 ●

21

ERECHTITES HIERACIFOLIA

(L.) Rafinesque
Fam : ASTERACEAE
Syn. : *Erechtites agrestis* (Sw.) Standl. & Steyerm.

Vern. names : *None known*
Noms vern. : *Zèb a lapen, Herbe à lapin, Laitue sauvage.*

Range / Aire : *Pantropical. Probably most of the islands.* Sans doute presque toutes les îles.

An annual herb, with coarse hairs, or glabrous. Stem thick, erect, H 0.30-1 m, rather succulent and pithy, ribbed, simple or branched, with ascending branches. Lvs alternate, sessile, oblong to lanceolate, L 10-18 cm ; base often with auricules ; apex usually acute ; margin acutely toothed, and often cut into triangular toothed lobes. Flower heads discoid, in terminal groups (corymbs), L ≈ 15 mm × ∅ 6-7 mm. Involucral bracts in a single row, as in Emilia, *but supported by a row of slender ciliate bracts. Cor. whitish-yellow. Achenes pale brown, ribbed, L 3 mm. Pappus of many white bristles, L 10 mm.*

Ecology and Biology : *Open fields and waste places on ferralic cambisols at low to middle elevations. Rainfall 1800-3000 mm. Propagated by windborne achenes.*
Main infested crops : *Vegetables (eggplant), yams, aroids.*

Herbe annuelle, à poils rudes, ou glabre. Tige grosse, droite, H 0,30 cm-1 m, assez succulente et médulleuse, côtelée, simple ou ramifiée, à branches ascendantes. F. alternes, sessiles, oblongues à lancéolées, L 10-18 cm ; base souvent auriculée ; pointe en général aiguë ; marge à dents aiguës, et souvent découpée en lobes triangulaires dentés. Capitules sans fleurs en ligule, en groupes (corymbes) terminaux, L ≈ 15 mm × ∅ 6-7 mm. Involucre d'une seule série de bractées, comme chez les *Emilia*, mais soutenu par des bractées grêles et ciliées. Cor. jaune-blanchâtre. Akènes brun pâle, côtelés, L 3 mm. Aigrette de nombreuses soies blanches, L 10 mm.

Ecologie et Biologie : Lieux abandonnés et cultures ouvertes à basse altitude sur sols ferrallitiques. Pluies 1800-3000 mm. Propagation par les akènes transportés par le vent.
Principales cultures infestées : Maraîchage (Aubergine), Ignames, Aroïdées.

22

ERECHTITES VALERIANIFOLIA

(Spreng.) DC.
Fam : ASTERACEAE

Vern. names : *None known*
Noms vern. : *Zèb a lapen bata, Herbe à lapin bâtarde*

Range / Aire : *Guad. Maybe other islands : seems indigenous in the Lesser Antilles.* Peut-être dans d'autres îles : semble indigène aux Petites Antilles.

An annual (?), erect, glabrous, poorly branched herb, H 0.30-1.50 m ; stem ribbed. Lvs pinnately dissected, with 6-8 lanceolate, pointed, acutely toothed lobes on both sides. Inflor. terminal, a panicle of many flower heads L 15-20 mm × ∅ 7-8 mm. Involucral bracts in a single row, L 12-15 mm, but supported by a row of linear, ciliate bracts. Pappus of many smooth, purplepink bristles.

Ecology and Biology : *Undergrowth of the rain forest, at middle to high elevations. Rainfall > 3000 mm. Propagated by windborne achenes.*
Main infested crops : *Upland bananas.*

Herbe annuelle (?), érigée, glabre, H 0,30-1,50 m, peu ramifiée, à tige côtelée. F. pinnatifides, avec de chaque côté, 6-8 lobes lancéolés, acuminés, à dents aiguës. Inflor. terminale, en panicule formée de nombreux capitules L 15-20 mm × ∅ 7-8 mm. Bractées de l'involucre en une seule série, L 12-15 mm, mais soutenues par une série de bractées linéaires ciliées. Aigrette de nombreuses soies souples, rosemauve.

Ecologie et Biologie : Sous-bois de la forêt dense humide, à moyenne et haute altitude. Pluies > 3000 mm. Propagation par les akènes transportés par le vent.
Principales cultures infestées : Banane de montagne.

21 ●

21 ●

22 ●

21 ●

22 ●

23

LAGASCEA MOLLIS Cav.

Fam : ASTERACEAE

Syn. : *Nocca mollis* (Cav.) Jacq.

Vern. names : *Velvet bush*
Noms vern. : *aucun connu*

Range / Aire : *StT, Ang, StM, Saba, StK, Guad, StV, Curaçao. Tropical America. May have invaded other islands.* Amérique tropicale. Peut avoir envahi d'autres îles.

Diffuse herb or subshrub, H 0.30-1 m. Branches and lvs velvety, with grey hairs. Lvs alternate, flaccid, oval, acute or acuminate, L 2-6 cm × l 1-4 cm. Base rounded or cuneate. Basal nerves 3. Margin finely serrate. Inflor. : long-peduncled glomerules, each of them supported by ± 6 ovate bracts, and enclosing many sessile, 1-flowered heads. Cor. white. Involucre tubular, ribbed, hairy, L 5-6 mm × ∅ 2 mm. Achenes black, L 3 mm, with a terminal toothed or fringed cupule.

Ecology and Biology : *Waste places and open fields on chromic vertisols, vertic cambisols and calcic phaeozems. Rainfall 1100-1700 mm. Propagated by achenes.*

Main infested crops : *Sugarcane, root crops, vegetables, natural and improved pastures.*

Herbe ou sous-arbrisseau diffus, H 0,30-1 m. Branches et feuilles veloutées par poils gris. F. alternes, molles, ovales, aiguës ou acuminées, L 2-6 cm × l 1-4 cm. Base arrondie ou en coin. Nervures basales 3. Marge finement dentée en scie. Inflor. en glomérules longuement pédonculés, soutenus chacun par ± 6 bractées ovales, et comprenant de nombreux capitules sessiles, d'une seule fleur à corolle blanche. Involucre tubulaire, côtelé, velu, L 5-6 mm × ∅ 2 mm. Akène noir, L 3 mm, surmonté par une cupule dentée ou frangée.

Ecologie et Biologie : Lieux abandonnés et cultures ouvertes sur vertisols, sols vertiques et sols bruns calciques. Pluies 1100-1700 mm. Propagation par les akènes.

Principales cultures infestées : Canne, Racines, Maraîchage, Savanes, Pâturages implantés.

24

MIKANIA MICRANTHA HBK.

Fam : ASTERACEAE

Syn. : *Mikania scandens* auct., non Willd., *Mikania cordifolia* auct., non Willd.

Vern. names : *Guaco*
Noms vern. : *Lokatè, Wap, Locataire, Wappe*

Range / Aire : *Tropical America. Greater Antilles. Probably all the Lesser Antilles.* Amérique tropicale. Grandes Antilles. Sans doute toutes les Petites Antilles.

A shrubby twiner, glabrous or pubescent. Lvs opposite, ovate or ovate-triangular, cordate or hastate, sometimes crimped or rough. Apex acuminate. L 4-16 cm × B 2-12 cm. Margin undulate and dentate, or almost entire. Petioles L 2-9 cm. Flower heads on short pedicels, in terminal and axillary open (var. typica*), or compact (var.* congesta*), groups, borne on long peduncles. Involucral bracts 4. Cor. white, slender, L ≈ 3 mm. Achenes black, L 2 mm. Pappus a tuft of 34-46 white hair L 3 mm, becoming pink or brownish.*

Ecology and Biology : *Rainfall > 1700 mm. Waste places and fields. Sun or shade. Propagated by windborne achenes and probably by stem cuttings.*

Main infested crops : *Bananas, sugarcane, root crops.*

Liane rampante et grimpante, un peu ligneuse, glabre ou pubescente. F. opposées, ovées ou ovées-triangulaires, cordées ou hastées, parfois gaufrées ou rugueuses. Apex acuminé. L 4-16 cm × l 2-12 cm. Marge ondulée et dentée, ou presque entière. Pétiole L 2-9 cm. Capitules à pédicelles courts, en groupes ouverts (var. *typica*) ou compacts (var. *congesta*), portés par de longs pédoncules. Bractées de l'involucre 4. Cor. blanche, grêle, L ≈ 3 mm. Akènes noirs, L 2 mm. Aigrette de 34-46 poils blancs, tournant au rose ou au beige.

Ecologie et Biologie : Pluies > 1700 mm. Lieux abandonnés et cultures. Au soleil ou à l'ombre. Propagation par les akènes transportés par le vent, et sans doute par fragments de tiges.

Principales cultures infestées : Banane, Canne, Racines.

23

23

23

24

24

24

24

25

PARTHENIUM HYSTEROPHORUS L.
Fam : ASTERACEAE

Vern. names : *Barley flower, Bastard feverfew, Broomweed, Dog flea weed, Mugwort, Whitehead, Whitetop, Wormwood, White broomweed*
Noms vern. : *Matrikè, Absent bata, Zèb a pyan, Matricaire, Absinthe bâtarde, Herbe à pian.*

Range / Aire : *Tropical America. Probably all islands.* Amérique tropicale. Sans doute toutes les îles.

An annual aromatic herb, ± branched, H 30-75 cm. Young plants have a rosette of basal lvs, from which arises the flowering stem. Stem ribbed, hairy at first, later glabrous. Lvs alternate, simple, but deeply bipinnately dissected, L → 11 cm × l → 6 cm (usually smaller), the upper ones entire or nearly so. Lvs pubescent above, and grey-pubescent below. Inflor. a loose terminal panicle of flattish, ± 5-angled flower heads, ∅ 4-8 mm, on short slender stalks. Ray florets with a very small, white ligule. Disc florets also very small, and ivory-white. Achenes black, L 2 mm, hairy at the top, with 2 soft bristles.

Ecology and Biology : *Waste places and open fields. Mainly on chromic vertisols, and on limestone. Rainfall 1100-1700 mm. Propagated by achenes.*
Main infested crops : *Sugarcane, yams, vegetables, natural pastures.*

Herbe annuelle, odorante, peu ou très ramifiée, H 30-75 cm. Jeunes plantes présentant une rosette de feuilles basales, d'où part la tige florale. Tige côtelée, d'abord poilue, puis glabre. F. alternes, simples, mais profondément bipinnatifides, L → 11 cm × l → 6 cm (habituellement plus petites), les supérieures entières ou presque. F. poilues en dessus, à poils gris en dessous. Inflor. en panicule lâche terminale, de capitules aplatis, ± à 5 angles, ∅ 4-8 mm, sur de courts pédicelles grêles. Fleurs du pourtour à très petite ligule blanche. Fleurs du centre également très petites, blanc-ivoire. Akènes noirs, L 2 mm, poilus et avec 2 courtes arêtes douces au sommet.

Ecologie et Biologie : Lieux abandonnés et cultures ouvertes. Surtout vertisols et sols calcaires. Pluies 1100-1700 mm. Propagation par akènes.
Principales cultures infestées : Canne, Ignames, Maraîchage, Savanes.

26

SYNEDRELLA NODIFLORA (L.) Gaertn.
Fam : ASTERACEAE

Vern. names : *Fatten barrow, Porter bush*

Noms vern. : *Kochon gra, Flè solèy, Zèb a difé, Ti margrit, Cochon gras, Fleur soleil, Herbe à feu, Petite marguerite.*

Range / Aire : *Tropical America. All islands.* Amérique tropicale. Toutes îles.

An annual herb, erect, rarely decumbent at the base, branched, H 40-90 cm. Branches almost cylindrical, the younger ones hairy. Lvs opposite, light green, ovate, 3-nerved from the base, L 3-9 cm × B 1.5-5 cm. Apex acute or obtuse ; base attenuate or cuneate. Margin serrate or almost entire. Blade hairy beneath. Petiole L 1-2(-3) cm. Flower heads small, ∅ 3(-5) mm, nearly sessile, borne in axillary and terminal groups of 1-3. Whorl cylindrical, with 2 leaf-like outer bracts. Outer florets 4-5, with short (2-3 mm) yellow, cleft ligules. Disc florets 6-10, yellow ; cor. L 2 mm. Achenes dark-coloured, the outer ones winged, 3-pointed, L 4 mm × B 3 mm, the inner ones L 4 mm × B 1 mm, with 2 rigid bristles L 4 mm. Not to be confused with Eleutheranthera ruderalis.

Ecology and Biology : *Waste places and crops in many environments. Prefers rich soils. Abundant after burning. Propagated by achenes.*
Main infested crops : *All crops.*

Herbe annuelle droite, rarement couchée à la base, ramifiée, H 40-90 cm. Branches cylindriques, les jeunes poilues. F. opposées, vert clair, ovées, à 3 nervures basales, L 3-9 cm × l 1,5-5 cm. Extrémité aiguë ou obtuse ; base rétrécie ou en coin. Marge dentée en scie ou presque entière. Face inférieure poilue. Pétiole L 1-2(-3) cm. Capitules petits, ∅ 3(-5) mm, presque sessiles, par 1-3, axillaires et terminaux. Involucre cylindrique, à 2 bractées externes foliacées. Fleurs du pourtour 4 ou 5, à ligules courtes (2-3 mm), jaunes, fendues. Fleurs en tube 6-10, jaunes, à cor. L 2 mm. Akènes sombres, ceux du pourtour ailés, à 2-3 pointes, L 4 mm × l 3 mm, ceux du disque L 4 mm × l 1 mm, à 2 arêtes rigides L 4 mm. A ne pas confondre avec *Eleutheranthera ruderalis.*

Ecologie et Biologie : Lieux abandonnés et cultures, dans beaucoup de situations écologiques. Préfère les sols riches. Abondant dans les brûlis. Propagation par les akènes.
Principales cultures infestées : Toutes cultures.

25 ●

25 ●

25 ●

26 ●

26 ●

27

VERNONIA CINEREA (L.) Less.
Fam : ASTERACEAE
Syn. : *Senecioides cinerea* (L.) O. Ktze.

Vern. names : *Inflammation bush, Iron bush, Ironweed*
Noms vern. : *Bouton blan, Bouton vyolè, Zèb (a) lasand, Manjé lapen, Je sème à tous vents, Bouton blanc, Bouton violet, Herbe à la cendre, Manger lapin.*

Range / Aire : *Pantropical. Probably all islands.* Sans doute toutes les îles.

An erect or semi-erect annual herb, H 15-60 (-100) cm ; branches few, pubescent. Lvs alternate, variable in shape : ovate, obovate or lanceolate, L 2-5 cm × B 1-3.5 cm. Apex acute or obtuse ; lower surface grey-pubescent ; margin entire or wavy. Petioles L 5-15 mm. Flower heads L 4-6 mm × ∅ 3-5 mm, in open branched groups, forming a terminal panicle on the main stem. Ligulate florets lacking. Cor. mauve or violet (rarely whitish), L 5 mm. Achenes L ≈ 1.5 mm with a pappus of white bristly hairs L 3-4 mm. Not to be confused with Ageratum conyzoides.

Ecology and Biology : *Very frequent in almost all environments. Propagated by windborne achenes.*
Main infested crops : *All crops.*

Herbe annuelle, érigée ou presque, H 15-60 (-100) cm ; branches peu nombreuses, pubescentes. F. alternes, de forme variable : ovées, obovées ou lancéolées, L 2-5 cm × l 1-3,5 cm. Pointe aiguë ou obtuse ; face inférieure à poils gris ; marge entière ou ondulée. Pétiole L 5-15 mm. Capitules en cloche, L 4-6 mm × ∅ 3-5 mm, en groupes lâches ramifiés, formant une panicule terminale sur la tige principale. Fleurs ligulées absentes. Cor. mauve ou violette (rarement blanche), L 5 mm. Akènes L ≈ 1,5 mm, à aigrette de soies barbelées, L 3-4 mm. Ne pas confondre avec *Ageratum conyzoides.*

Ecologie et Biologie : Très fréquent dans la plupart des conditions de milieu. Propagation par les akènes transportés par le vent.
Principales cultures infestées : Toutes cultures.

28

WEDELIA TRILOBATA (L.) Hitch.
Fam : ASTERACEAE

Vern. names : *Carpet daisy, Creeping ox-eye, Graveyard daisy, Graveyard grass, Marigold*
Noms vern. : *Zèb a fanm, Pat a kanna, Herbe à femme, Patte à canard, Bouton d'or.*

Range / Aire : *Central America, Columbia, Antilles.* Amérique centrale, Colombie, Antilles.

A perennial creeping herb, usually glabrous, somewhat fleshy, rooting at the nodes, with ascending branches. Lvs opposite, sessile or on short petioles, generally 3-lobed, with the central lobe broad, the lateral lobes narrower and more acute. Blade rough with scattered hairs on both surfaces. Flower heads solitary, ∅ 2-3 cm, on axillary peduncles L 4-10 cm. Ray florets yellow, about 10 in number, the ligule L ≈ 10 mm. Disc florets numerous, yellow. Achenes top-shaped, L 3.5-5 mm. Pappus of irregular, coherent short scales.

Ecology and Biology : *Frequent in almost all environments : ecotypes probably exist. Propagated by achenes and by stem cuttings.*
Main infested crops : *All crops.*

Herbe pérenne rampante, en général glabre, un peu charnue, se racinant aux noeuds, à branches ascendantes. F. opposées sessiles ou presque, généralement à 3 lobes, le lobe central large, les latéraux plus étroits et plus aigus. Limbe rude au toucher, par poils épars sur les deux faces. Capitules solitaires, ∅ 2-3 cm, sur des pédoncules axillaires L 4-10 cm. Fleurs en ligule du pourtour jaunes, environ 10, L ≈ 10 mm. Fleurs en tube du coeur nombreuses, jaunes. Akènes côniques, L ≈ 3,5-5 mm. Aigrette d'écailles courtes, soudées, irrégulières.

Ecologie et Biologie : Fréquent dans presque toutes les situations : existence probable d'écotypes. Propagation par les akènes, et par fragments de tiges.
Principales cultures infestées : Toutes cultures.

27

27

27

28

28

28

29

SENNA OBTUSIFOLIA (L.) Irwin & Barneby

Fam : CAESALPINIACEAE
Syn. : *Cassia obtusifolia* L., *Cassia tora* Benth., non L.

Vern. names : *Dandelion, Italian senna, Money bush, Sickle pod, Wild groundnut*
Noms vern. : *Zépyant, Herbe puante, Soumaké, Soumaké bata, Sou marqué, Sou marqué bâtard*

Range / Aire : *Pantropical. Native of tropical America. All islands.* Originaire d'Amérique tropicale. Toutes îles.

An annual shrub H 30-100 cm. Stems finely pubescent or with scattered hairs. Lvs alternate, pinnate, L 6-12 cm, with (2-)3 pairs of thickish, almost fleshy leaflets L 2-5 cm × B 1.5-2.5 cm, broad, obovate-oblong, obtuse or rounded at apex, the terminal ones larger, and often somewhat non symmetric. Stipules L 8-15 mm. Petioles L 1-3.5 cm, with a gland between the lower leaflets. Flowers in pairs on short peduncles in the upper axils. Petals yellow, obovate or obovate-elliptical, 3 of them larger (12-15 mm) than the other 2. Pod linear, ± flattened, straight and erect, or curving outward (or downward), L 8-16 cm × B 3-5 mm. Seeds brown, L 4-5 mm × B 2 mm.

Ecology and Biology : *Widespread. Waste places and crops in most environments. Propagated by seeds.*
Main infested crops : *All crops, except established bananas.*

Sous-arbrisseau annuel, H 30-100 cm. Branches finement poilues, ou à poils épars. F. alternes, paripennées, L 6-12 cm, à (2-)3 paires de folioles assez épaisses, presque charnues, L 2-5 cm × l 1,5-2,5 cm, larges, obovées-oblongues, ± arrondies à l'apex , les terminales plus grandes, et souvent un peu dissymétriques. Stipules L 8-15 mm. Pétiole L 1-3,5 cm, avec une glande entre les 2 folioles basales. Fleurs par paires, sur de courts pédoncules, aux aisselles supérieures. Pétales jaunes, obovés ou obovés-elliptiques, dont 3 plus grands (12-15 mm) que les 2 autres. Gousse linéaire, un peu aplatie, droite et dressée, ou courbée vers l'extérieur (ou retombante), L 8-16 cm × l 3-5 mm. Graines brunes, L 4-5 mm × l 2 mm.

Ecologie et Biologie : Très commun. Lieux abandonnés et champs dans la plupart des milieux. Propagation par graines.
Principales cultures infestées : Toutes cultures, sauf Bananiers adultes.

30

SENNA OCCIDENTALIS (L.) Link

Fam : CAESALPINIACEAE
Syn. : *Cassia occidentalis* L.

Vern. names : *Coffee senna, Piss-a-bed, Stinking bush, Wild coffee, Wild french guava*
Noms vern. : *Zépyant, Ti kafé, Kaspyan, Kafé moka, Herbe puante, Petit café, Casse puante, Café moka, Balambala*

Range / Aire : *Pantropical. Native of tropical America. All islands.* Originaire d'Amérique tropicale. Toutes îles.

An annual herb, H 50-100 cm, usually rather sparsely branched. Lvs alternate, pinnate L → 25 cm, with 4-6 pairs of glabrous, ovate or ovate-lanceolate leaflets L 2-7 cm × B 1-2.5 cm, acute at the apex, rounded at the base. Petiole L → 5 cm with a gland at base. Stipules lanceolate, deciduous, L ≈ 5 mm. Flowers in axillary and terminal racemes. Petals yellow, L 10-15 mm, obovate-elliptical, 3 of them larger than the other 2. Pods linear-oblong, flattened, slightly curved, ascending, L 6-12 cm × B 6-10 mm, ± compressed between seeds, opening along both margins. Seeds ± obovoid, brown, L 3-4 mm.

Ecology and Biology : *Waste places and crops in most environments. Propagated by seeds.*
Main infested crops : *All crops, except established bananas.*

Herbe annuelle, H 50-100 cm, habituellement assez peu branchue. F. alternes, pennées, L → 25 cm, à 4-6 paires de folioles glabres, ovées-lancéolées, L 2-7 cm × l 1-2,5 cm, aiguës à l'extrémité, arrondies à la base. Stipules lancéolées, tombant rapidement, L ≈ 5 mm. Fleurs en grappes axillaires et terminales. Pétales jaunes, L 10-15 mm, obovés-elliptiques, dont 3 plus grands que les 2 autres. Gousse linéaire-oblongue, aplatie, un peu incurvée, ascendante, L 6-12 cm × l 6-10 mm, ± comprimée entre les graines, s'ouvrant le long des deux marges. Graines ± obovoïdes, brunes, L 3-4 mm.

Ecologie et Biologie : Lieux abandonnés, champs dans la plupart des milieux. Propagation par graines.
Principales cultures infestées : Toutes cultures, sauf Bananiers adultes.

29

29

30

30

30

30

31

CLEOME ACULEATA L.

Fam : CAPPARIDACEAE (CLEOMACEAE)

Vern. names : *None known*
Noms vern. : *Gwo kaya, Gwo mouzanbé, Grand caya, Grand acaya, Grand mouzambé*

Range / Aire : *South America, introduced in West tropical Africa. Guad, Mart, Grd, Trin, and probably other islands.* Amérique du sud, introduit en Afrique tropicale occidentale. Guad, Mart, Grd, Trin, et sans doute d'autres îles.

An annual diffuse herb, H 20-60 cm, with straggling, tough, smooth and almost cylindrical branches. Stem and lvs slightly pubescent or glabrous. Lvs alternate, digitately trifoliolate, but upper lvs usually unifoliolate. 2 stipular prickles at the base of the petioles. Leaflets thin, ovate (or the terminal one rhombic), acute or obtuse at apex, L 2-6 cm × B 1.5-3 cm. Flowers solitary in the axils of the upper unifoliolate leaves, on slender peduncles L ≈ 2 cm. Petals 4, white, L 5 mm, deciduous. Capsule L 3-6 cm, subsessile. Seeds yellowish, ∅ ≈ 2.5 mm. Not to be confused with Cleome rutidosperma. *A more clearly ruderal species,* C. spinosa *Jacq. is erect, H 1-1,50 m, with 5 leaflets.*

Ecology and Biology : *Deep soils at low to middle elevation. Rainfall 1500-3000 mm. Propagated by seeds.*
Main infested crops : *Sugarcane, vegetables, yams.*

Herbe annuelle diffuse, H 20-60 cm, à branches étalées, fermes, lisses et rondes. Tiges et feuilles un peu pubescentes ou glabres. F. alternes, digitées, à 3 folioles, mais les supérieures en général à une seule foliole. Epines stipulaires appariées à la base des pétioles. Folioles fines, ovées (ou la terminale losangique), à pointe aiguë ou obtuse, L 2-6 cm × l 1,5-3 cm. Fleurs solitaires aux aisselles des feuilles supérieures unifoliolées, sur des pédoncules grêles, L ≈ 2 cm. Pétales 4, blancs, L 5 mm, tombant très vite. Capsule L 3-6 cm, subsessile. Graines jaunâtres, ∅ ≈ 2,5 mm. Ne pas confondre avec *Cleome rutidosperma.* Une espèce plus nettement rudérale, *C. spinosa* Jacq. est érigée, H 1-1,50 m, et a des F. digitées à 5 folioles.

Ecologie et Biologie : Sols profonds à basse et moyenne altitude. Pluies 1500-3000 mm. Propagation par graines.
Principales cultures infestées : Canne, Maraîchage, Ignames.

32

CLEOME RUTIDOSPERMA DC.

Fam : CAPPARIDACEAE (CLEOMACEAE)
Syn. : *Cleome ciliata* Schum. & Thonn.

Vern. names : *Feefee, Consumption weed*
Noms vern. : *Kaya blan, Mouzanbé blan, Caya blanc, Acaya blanc, Mouzambé blanc*

Range / Aire : *Probably native to tropical Africa, a rather recent introduction in tropical America. Exact extension in the Antilles unknown.* Sans doute originaire d'Afrique tropicale, assez récemment introduit en Amérique tropicale. Extension exacte aux Antilles inconnue.

An annual herb, with mostly trailing, fragile, angular branches, L → 1 m. Stems, petioles and leaf-blades sparsely hispid. Lvs. alternate, digitately trifoliolate, the terminal leaflet larger than the lateral ones. Leaflets light green, ovate-rhombic to elliptic, acuminate, L 3-4 cm × B 1.5-2 cm. Margin with fine red hairs. Flowers solitary in the axils of leaf-like, trifoliolate bracts. Petals 4, white, occasionally light mauve, L ≈ 8 mm. Capsule L ≈ 5 cm. Seeds reddish brown, striated, ∅ ≈ 1.2 mm. Not to be confused with Cleome aculeata.

Ecology and Biology : *Ferralic cambisols at low elevation. Rainfall 1700-2500 mm. Propagated by seeds.*
Main infested crops : *Sugarcane, vegetables, yams.*

Herbe annuelle, à branches fragiles, angulées, en général couchées à rampantes, L → 1 m. Tiges, pétioles et limbes foliaires un peu hispides. F. alternes, à 3 folioles digitées, la terminale plus grande que les latérales. Folioles vert clair, ovées-losangiques à elliptiques, acuminées, L 3-4 cm × l 1,5-2 cm. Marge ciliée de fins poils rouges. Fleurs solitaires aux aisselles de bractées trifoliolées. Pétales 4, blancs, parfois mauve clair, L ≈ 8 mm. Capsule L ≈ 5 cm. Graines brun rougeâtre, striées, ∅ ≈ 1,2 mm. Ne pas confondre avec *Cleome aculeata.*

Ecologie et Biologie : Sols ferrallitiques à basse altitude. Pluies 1700-2500 mm. Propagation par graines.
Principales cultures infestées : Canne, Maraîchage, Ignames.

31 ● 31 ●

32 ●

32 ●

33

CLEOME VISCOSA L.
Fam : CAPPARIDACEAE (CLEOMACEAE)
Syn. : *Cleome icosandra* L.

Vern. names : *Caia*

Noms vern. : *Kaya jòn, Mouzanbé jòn, Caya jaune, Acaya jaune, Mouzambé jaune*

Range / Aire : *Old world. Ancient introduction into tropical America. All islands.* Ancien monde. Introduit depuis longtemps en Amérique tropicale. Toutes îles.

Erect, few-branched, yellowish-green herb, sometimes large and shrubby, H 20-120 cm. Entire plant, except flowers and young fruits, pubescent with simple, sticky, glandular hairs with an unpleasant smell. Lvs alternate, digitately compound with 3-6 leaflets. Leaflets elliptic to oblanceolate, L 2-8 cm, the lateral ones ± curved. Lower lvs with long petioles, the upper lvs almost sessile. Flowers solitary in the axils of leaf-like bracts. Petals 4, yellow, obovate, L ≈ 10 mm. Fruit a long, mostly erect capsule L 5-10 cm, tapering to the apex, glandular-pubescent (except when young). Seeds dark reddish-brown, ∅ ≈ 1.5 mm.

Ecology and Biology : *Mainly in dry, sunny, leeward coastal areas, on volcanic soils. Propagated by seeds.*

Main infested crops : *Vegetables, root crops.*

Herbe droite, peu ramifiée, d'un vert jaunâtre, parfois grande et un peu ligneuse, H 20-120 cm. Plante entière, sauf les fleurs et les jeunes fruits, à poils simples, collants, glandulaires, d'odeur désagréable. F. alternes, digitées, à 3-6 folioles. Folioles elliptiques à oblancéolées, L 2-8 cm, les latérales ± incurvées. F. inférieures longuement pétiolées, les supérieures presque sessiles. Fleurs solitaires aux aisselles de bractées foliacées. Pétales 4, jaunes, obovés, L ≈ 10 mm. Capsule longue, le plus souvent dressée, L 5-10 cm, rétrécie vers l'extrémité, à poils collants (sauf à l'état jeune). Graines d'un brun rougeâtre sombre, ∅ ≈ 1,5 mm.

Ecologie et Biologie : Surtout en zone côtière sèche et ensoleillée sous-le-vent, sur sol volcanique. Propagation par graines.

Principales cultures infestées : Maraîchage, Racines.

34

COMMELINA DIFFUSA Burm.
Fam : COMMELINACEAE
Syn. : *Commelina longicaulis* Jacq., *Commelina nudiflora* L.

Vern. names : *Pond grass, Spreading dayflower, Wandering Jew, Water grass, French weed, Caner grass, Zeb gwa*

Noms vern. : *Kiraj, Zèb gra, Curage, Herbe grasse*

Range / Aire : *Widespread in Tropical America.* Commun dans toute l'Amérique tropicale.

Perennial herb, ± decumbent or ascending, glabrous. Stems cylindrical, fragile. Lvs simple, alternate, entire, smooth, almost fleshy, deep green, ovate-lanceolate, L 2-5 cm, acute to acuminate at apex, the base sessile or nearly so, but with a cylindric sheath surrounding the stem, usually ciliate on margins. Nerves numerous and parallel, but inconspicuous. Flowers in a small pedunculate group enclosed by a folded, heart-shaped spathe L 10-25 mm, whose margins are free at the base. Petals 3, blue, L 4-8 mm. Fruit a 3-valved capsule, the upper cell with 1 seed, the two lower each with 2 seeds.

Ecology and biology : *Deep soils, in shady, moist or even wet environments. Propagated by seeds and stem cuttings.*

Main infested crops : *Bananas, and other crops in rainy areas (or on wet soils).*

Herbe pérenne, ± couchée ou ascendante, glabre. Tiges cylindriques, fragiles. F. simples, alternes, entières, douces au toucher, presque charnues, d'un vert vif, ovées-lancéolées, L 2-5 cm, aiguës ou avec une pointe à l'extrémité ; base sessile ou presque, mais reliée à une gaine cylindrique entourant la tige et en général ciliée sur la marge. Nervures nombreuses et parallèles, mais peu visibles. Fleurs en petit groupe pédonculé inclus dans une spathe pliée, cordiforme, L 10-25 mm, dont les bords sont libres à la base. Pétales 3, bleus, L 4-8 mm. Fruit : capsule à 3 valves, la loge supérieure à 1 graine, les deux inférieures à 2 graines chacune.

Ecologie et biologie : Sols profonds, en situation ombragée et fraîche, voire humide. Propagation par graines et par fragments de tiges.

Principales cultures infestées : Bananier, et autres cultures en zone pluvieuse (ou sur sol humide).

33

33

33

34

34 34

35

COMMELINA ELEGANS HBK.

Fam : COMMELINACEAE

Syn. : *Commelina virginica* Urb., non L.

Vern. names : *Pond grass, Water grass, French weed, Zeb gwa*

Noms vern. : *Kiraj, Zèb gra, Curage, Herbe grasse*

Range / Aire : *Widespread in Tropical America.* Commun dans toute l'Amérique tropicale.

Closely resembles the preceding species, with the following differences : Lvs oblong-lanceolate, L 3-8 cm, often very shortly petiolate and auriculate at base. Margins of the spathe joined at the base. Petals mostly bluish-white (sometimes blue or pure white), slightly larger than in C. diffusa. *Capsule with 1 seed per cell.*

*(*C. benghalensis *L. is a recent introduction from South-eastern Asia : Petioles and sheaths ciliate with long reddish hairs L → 3 mm. Lvs elliptic, unsymmetrical at base.)*

Ecology and biology : *Drier and sunnier places than the preceding species. Propagated by seeds and stem cuttings.*

Main infested crops : *All crops, except established bananas.*

Très voisin de l'espèce précédente, avec les différences suivantes : F. oblongues-lancéolées, L 3-8 cm, souvent avec un pétiole très court, et portant souvent des oreillettes à la base. Bords de la spathe soudés à la base. Pétales le plus souvent d'un blanc bleuâtre (parfois bleus ou d'un blanc pur), un peu plus grands que chez *C. diffusa.* Capsule à 1 graine par loge.

(*C. benghalensis* L. est une introduction récente d'Asie du Sud-Est : Pétioles et gaines ciliés par de longs poils rougeâtres L → 3 mm. F. elliptiques, dissymétriques à la base.)

Ecologie et biologie : Situations plus sèches et plus ensoleillées que l'espèce précédente. Propagation par graines et par fragments de tiges.

Principales cultures infestées : Toutes cultures, sauf Bananiers adultes.

36

CUSCUTA AMERICANA L.

Fam : CONVOLVULACEAE

Vern. names : *Dodder, Dodder vine, Love vine, Vermicelli*

Noms vern. : *San pyé, Vèrmisèl, Lyann zanmityé, Sans pied, Vermicelle, Liane amitié, Liane sans fin*

Range / Aire : *Tropical America. All islands.* Amérique tropicale. Toutes îles.

Parasitic twiner without chlorophyl. Stems orange, ∅ ≈ 2.5 mm. Lvs reduced to very small ovate scales. Flowers in small groups. Calyx (L 1.5 mm) and cor. (L 2.5 mm) tubular, bell-shaped. Cor. lobes triangular, L 0.5 mm. Fruit : a globose capsule ∅ ≈ 2 mm.

Other species of this genus, with much more slender stems, may occur here and there.

Not to be confused with Cassytha filiformis *L., with greyish-green stems, and a white, fleshy, globose fruit.*

Ecology and biology : *Mainly rather dry areas.*

Main infested crops : *Mainly fruit trees, but also many others.*

Liane parasite sans chlorophylle. Tiges orangées, ∅ ≈ 2.5 mm. F. réduites à de très petites écailles ovées. Fleurs en petits groupes. Calice (L 1,5 mm) et cor. (L 2,5 mm) tubulaires, en cloche. Lobes de la cor. triangulaires, L 0,5 mm. Fruit : capsule globuleuse ∅ ≈ 2 mm.

D'autres espèces de ce genre, à tiges beaucoup plus grêles, peuvent intervenir ça et là.

Ne pas confondre avec *Cassytha filiformis* L., à tiges d'un vert grisâtre, et à fruit globuleux, blanc et charnu.

Ecologie et biologie : Surtout zones assez sèches.

Principales cultures infestées : Surtout arbres fruitiers, mais également beaucoup d'autres.

35 ● 35 ●

36 ●

36 ●

37

IPOMŒA QUAMOCLIT L.
Fam : CONVOLVULACEAE
Syn. : *Quamoclit pinnata* (Desr.) Boj.

Vern. names : *Sweet William*
Noms vern. : *Cheveux de Vénus, Herbe à éternuer, Goutte de sang*

Range / Aire : *Pantropical. All islands.* Toutes îles.

A small annual, herbaceous vine, very slender, glabrous, with milky latex. Lvs simple, alternate, sessile or nearly so, ovate-oblong in outline, L 4-12 cm × B 1.5-3 cm, very deeply pinnatifid, with 8-20 pairs of linear-threadlike segments, the basal ones commonly bifid. Flowers axillary, solitary or in small groups. Sepals L 5-7 mm. Cor. usually scarlet-red, with a tube L 20-25 mm and 5 ovate, spreading lobes L 5-7 mm. Capsule ovoid, L 10-15 mm.

Ecology and biology : *Rainfall 1200-1900 mm. All types of soils. Propagated by seeds.*
Main infested crops : *Sugarcane, vegetables.*

Petite liane à latex, herbacée, annuelle, très grêle, glabre. F. simples, alternes, presque sessiles, de contour ové-oblong, L 4-12 cm × l 1,5-3 cm, très profondément pinnatifide, à 8-20 paires de segments linéaires-filiformes, ceux de la base généralement bifides. Fleurs solitaires ou en petits groupes, axillaires. Sépales L 5-7 mm. Cor. en général rouge-écarlate, à tube L 20-25 mm, et à 5 lobes ovés, étalés, L 5-7 mm. Capsule ovoïde, L 10-15 mm.

Ecologie et biologie : Pluies 1200-1900 mm. Tous types de sol. Propagation par graines.
Principales cultures infestées : Canne, Maraîchage.

38

IPOMŒA SETIFERA Poir.
Fam : CONVOLVULACEAE
Syn. : *Ipomoea rubra* (Vahl) Millsp.

Vern. names : *none known*
Noms vern. : *Manjé lapen, Lyann (a) fo, Koudrèl, Manger lapin, Liane (à) faux, Coudrel*

Range / Aire : *Tropical America and Africa. Jamaica, Puerto Rico, Guad, Dom, Mart, StV. May be other islands.* Amérique et Afrique tropicales. Jamaïque, Porto Rico, Guad, Dom, Mart, StV. Peut-être dans d'autres îles.

A rather strong trailing and climbing vine, with an abundance of milky latex. Stems with erect, brownish-yellow hairs. Lvs simple, alternate, membranous, rather thick, L 5-10 cm × B 3.5-6.5 cm, ovate, very deeply cordate at base. Apex usually ± notched and mucronate. Upper surface glabrous, the lower surface ± hairy along nerves. Petioles L 3-10 cm. Flowers borne in group of 1-5 on a thick, ± long peduncle. Bracts large, membranous, acuminate, L ± 10 mm. Pedicels L 1.5-2 cm, sometimes hirsute. Sepals unequal, L 9-18 mm, broadly ovate, the external ones whitish, strongly ribbed. Cor. purple, funnel-shaped, L 7-8 cm.

Ecology and biology : *Ferralic cambisols under medium to heavy rainfall. Propagated by seeds and stem cuttings.*
Main infested crops : *Sugarcane, yams, tannias, vegetables.*

Liane à latex abondant, assez puissante, rampante ou grimpante. Tiges à poils érigés jaune-brunâtre. F. simples, alternes, membraneuses, assez épaisses, L 5-10 cm × l 3,5-6,5 cm, ovées, très profondément cordées à la base. Extrémité en général ± échancrée, et mucronée. Face supérieure glabre, l'inférieure ± poilue le long des nervures. Pétiole L 3-10 cm. Fleurs par 1-5 sur un gros pédoncule ± long. Bractées grandes, membraneuses, pointues, L ± 10 mm. Pédicelles L 1,5-2 cm, parfois hirsutes. Sépales inégaux, L 9-18 mm, largement ovés, les externes blanchâtres, fortement côtelés. Corolle pourpre, en entonnoir, L 7-8 cm.

Ecologie et biologie : Sols ferrallitiques en zone moyennement ou très arrosée. Propagation par graines et par fragments de tiges.
Principales cultures infestées : Canne, Ignames, Aroïdées, Maraîchage.

37 ●

37 ●

38 ● 38 ●

39

IPOMŒA TILIACEA (Willd.) Choisy

Fam : CONVOLVULACEAE

Vern. names : *Morning glory, Wild potato, Caapi, Caapi doux, Wild slip*

Noms vern. : *Manjé lapen, Patat bata, Patat mawon, Lyann dou, Manger lapin, Patate bâtard, Patate marron, Liane douce*

Range / Aire : *Continental and insular tropical America. All islands.* Amérique tropicale continentale et insulaire. Toutes îles.

A twiner with slender, finely striated stems, hairy or glabrous, L → 6 m, often rooting at the nodes when trailing, with an abundance of white latex. Lvs simple, alternate, normally entire (sometimes 3-lobed), broadly ovate or heart-shaped ; base cordate, apex always acute. L 4-12 cm × B 3-8 cm. Petiole slender, as long as the blade. Flowers in few to many-flowered groups (cymes) with longish peduncles and short pedicels. Calyx short (L 5-8 mm) and smooth. Cor. funnel-shaped, L 4-6 cm, pale mauve to purple, the tube paler, but with a dark eye (rarely white). Capsule subglobose, pointed, L 5 mm, enclosed by the calyx. This species has long (but erroneously) been considered the ancestor of the sweet potato.

Ecology and biology : *Waste places and crops almost everywhere. Propagated by seeds and stem cuttings.*
Main infested crops : *All crops.*

Liane à tiges grêles, finement striées, poilues ou glabres, L → 6 m, souvent radicantes aux noeuds en contact avec le sol. Latex abondant. F. simples, alternes, normalement entières (parfois à 3 lobes), largement ovées, ou cordiformes ; base cordée, extrémité toujours aiguë. L 4-12 cm × 1 3-8 cm. Pétiole grêle, de la longueur du limbe. Fleurs en groupes (cymes) plus ou moins fournis, sur des pédoncules assez longs ; pédicelles courts. Calice court (L 5-8 mm) et lisse. Cor. en entonnoir, L 4-6 cm, mauve pâle à pourpre, à tube plus pâle, mais avec un oeil sombre au fond (rarement blanche). Capsule subglobuleuse, surmontée d'une pointe, L 5 mm, incluse dans le calice. Cette espèce a longtemps été considérée (par erreur) comme l'ancêtre de la Patate douce.

Ecologie et biologie : Lieux abandonnés et cultures, presque partout. Propagation par graines et par fragments de tiges.
Principales cultures infestées : Toutes cultures.

40

JACQUEMONTIA TAMNIFOLIA (L.) Griseb.

Fam : CONVOLVULACEAE

Syn. : *Thyella tamnifolia* (L.) Rafinesque

Vern. names : *none known*

Noms vern. : *Lizwon savann, Kalalou Rada, Liseron-savane, Calalou Rada (Arada, nom d'un peuple africain)*

Range / Aire : *South-eastern USA, South America, Caribbean. Probably all islands.* Sud-est des E.U., Amérique du Sud, Antilles. Sans doute toutes îles.

A climbing and trailing herb, with little white latex. Stems cylindrical, often purplish, ∅ 3-4 mm, sparsely hairy, with whitish hairs. Lvs simple, alternate, ovate, L 5-10 cm × B 4-8 cm. Apex obtuse and base truncate. Margin ciliate. Petioles L 4-7 cm, with whitish hairs. Flowers in compact groups (cymes) ∅ 2-7 cm, with two large bracts at the base, and numerous, linear, ciliate bracts L 1.5-2.5 cm among the flowers. Sepals white-hairy, linear, L 8-9 mm. Cor. funnel-shaped, blue to mauve, L 10-12 mm. Capsule ∅ ≈ 5 mm, opening irregularly.

Ecology and biology : *Ferralic cambisols at low elevations on the windward side of the islands. Propagated by seeds and probably by stem cuttings.*
Main infested crops : *Sugarcane, yams.*

Liane grimpante et rampante, à latex blanc peu abondant. Tiges cylindriques, souvent violacées, ∅ 3-4 mm, à poils blancs épars. F. simples, alternes, ovées, L 5-10 cm × 1 4-8 cm. Apex obtus et base tronquée. marge ciliée. Pétiole L 4-7 cm, à poils blancs. Fleurs en groupes compacts (cymes) ∅ 2-7 cm, portant 2 larges bractées à la base, et de nombreuses bractées linéaires ciliées, L 1,5-2,5 cm, parmi les fleurs. Sépales à poils blancs, linéaires, L 8-9 mm. Corolle en entonnoir, bleue à mauve, L 10-12 mm. Capsule ∅ ≈ 5 mm, s'ouvrant irrégulièrement.

Ecologie et biologie : Sols ferrallitiques à basse altitude, au vent. Propagation par graines, et sans doute par fragments de tiges.
Principales cultures infestées : Canne, Igname.

39

39

40

40

41

MERREMIA AEGYPTIA (L.) Urb.
Fam : CONVOLVULACEAE

Vern. names : *none known*
Noms vern. : *Liane poilue*

Range / Aire : *Pantropical. All islands.* Toutes îles.

A twiner, with stems several metres long, with latex, hirsute or pilose in all parts, except the cor. and capsule. Lvs digitately compound. Leaflets 5, elliptical-lanceolate or obovate, L 3-15 cm. Apex obtuse. Margin entire. Inflorescences : loose groups (cymes) of a few flowers on stiff peduncles. Cor. funnel-shaped, white, L ≈ 3 cm. Capsule almost round, ∅ ≈ 10 mm, surrounded by the persistent calyx.

Ecology and biology : *Mainly deep soils at low elevation. Rainfall 1100-1900 mm. Propagated by seeds.*
Main infested crops : *Sugarcane, yams.*

Liane à latex, à tiges longues de plusieurs mètres, hirsute ou pileuse en toutes parties, sauf la corolle et la capsule. F. composées, digitées. Folioles 5, elliptiques-lancéolées ou elliptiques-obovées, L 3-15 cm. Marge entière. Inflorescences : groupes (cymes) lâches de quelques fleurs sur des pédoncules rigides. Cor. en entonnoir, blanche, L ≈ 3 cm. Capsule presque ronde, ∅ ≈ 10 mm, entourée du calice persistant.

Ecologie et biologie : Surtout sols profonds à basse altitude. Précipitations 1100-1900 mm. Propagation par graines.
Principales cultures infestées : Canne, Igname.

42

MERREMIA DISSECTA (Jacq.) H. Hall.
Fam : CONVOLVULACEAE

Vern. names : *none known*
Noms vern. : *Méné vini, Ménen vini, Lyann noyo, Liane noyau*

Range / Aire : *Pantropical. All islands.* Toutes îles.

A twiner, with a smell of bitter almond by crushing. Stems up to several metres long, with latex. Stems, petioles and peduncles pilose. Lvs palmately divided almost to the base into 5-8 lanceolate segments, these in turn lobed or coarsely dentate or undulate, the middle segment usually the longer, L → 8 cm. Flowers 1-2 only on longish peduncles. Cor. funnel-shaped, white, with a purple centre, L 3-4 cm. Capsule ∅ → 15 mm, enclosed by the persistent calyx.

Ecology and biology : *Groves and thickets, and cultivated areas in dry conditions (rainfall < 1600 mm). Propagated by seeds.*
Main infested crops : *Sugarcane.*

Liane à latex, à odeur d'amande amère ("essence de noyau") par écrasement. Tiges longues de plusieurs mètres. Tiges, pétioles et pédoncules pileux. F. à 5-8 lobes palmaires, lancéolés, eux-mêmes lobés, grossièrement dentés ou ondulés, le lobe médian en général le plus grand, L → 8 cm. Fleurs par 1-2 sur des pédoncules assez longs. Cor. en entonnoir, blanche, à centre pourpre, L 3-4 cm. Capsule ∅ → 15 mm, incluse dans le calice persistant.

Ecologie et biologie : Bois et fourrés, et zones cultivées en situation sèche (pluies < 1600 mm). Propagation par graines.
Principales cultures infestées : Canne.

41 ●

41 ●

41 ●

42 ●

42 ●

43

MERREMIA UMBELLATA (L.) H. Hall.
Fam : CONVOLVULACEAE

Vern. names : *Hog vine, Yellow hog vine, Yellow morning glory, Sweet liane, Sweet William*
Noms vern. : *Lyann bèso, Lyann dou jòn, Liane berceau, Liane douce jaune, Liane (à) malingres*

Range / Aire : *Pantropical. Probably all islands.* Pantropical. Sans doute toutes îles.

A vine with milky latex, glabrous, or rarely pubescent, mostly trailing. Stipules thick, stiff, rectangular. Lvs simple, alternate, entire, cordate at base, shortly pointed at apex, L 4-10 cm × l 2-6 cm. Petiole not longer than the blade. Flowers many, in umbel-like groups (cymes). Common peduncle L 2-5 cm. Pedicels L ± 10 mm. Sepals equal or nearly so, ovate-rounded, L 6-7 mm. Cor. bright yellow, funnel-shaped, L 2-4 cm. Capsule subglobose, ∅ ± 10-15 mm, in 4 parts. Seeds 4, brown, velvety.

Ecology and biology : *A ruderale of deep, disturbed soils at low elevation. Propagated by seeds and maybe by stem cuttings.*
Main infested crops : *Sugarcane, root crops, vegetables.*

Liane à latex, glabre, rarement finement poilue, en général rampante. Stipules épaisses, rigides, rectangulaires. F. simples, alternes, entières, cordées à la base, à courte pointe à l'extrémité, L 4-10 cm × l 2-6 cm. Pétiole au plus de la longueur du limbe. Fleurs nombreuses, en groupes (cymes) ressemblant à des ombelles. Pédoncule commun L 2-5 cm. Pédicelles L ± 10 mm. Sépales presque égaux, ovés-arrondis, L 6-7 mm. Cor. d'un jaune vif, en entonnoir, L 2-4 cm. Capsule presque ronde, ∅ ± 10-15 mm, en 4 parties. Graines 4, brunes, veloutées.

Ecologie et biologie : Rudérale des sols profonds remués, à basse altitude. Propagation par graines, et peut-être par fragments de tiges.
Principales cultures infestées : Canne, Racines, Maraîchage.

44

CUCUMIS ANGURIA L.
Fam : CUCURBITACEAE

Vern. names : *West indian gherkin, Wild cucumber, Small wild cucumber*
Noms vern. : *Ti konkonb, Masisi, Petit concombre, Macissi, Massissi*

Range / Aire : *Tropical America. Probably all islands.* Amérique tropicale. Sans doute toutes îles.

An annual trailing herb, covered with stiff hairs. Stems rather thick, angled, watery, with small simple tendrils. Lvs simple, alternate, 3-5-lobed, ∅ 4-9 cm. Petioles long. Flowers yellow, ∅ 3-10 mm, the male flowers in groups, the female solitary on long, hirsute peduncles. Cor. 5-lobed. Stamens 3. Fruit fleshy, indehiscent, ovoid to oblong, L 4-5 cm, covered with long shining hairs arising from small protuberances. Pericarp pale green, creamy-white with age. Pulp greenish. Seeds numerous, small, smooth, ∅ 3-5 mm.

Ecology and biology : *Dry soils at low elevations. Propagated by seeds.*
Main infested crops : *Sugarcane, vegetables.*

Herbe annuelle, rampante, couverte de poils raides. Tiges assez grosses et angulées, aqueuses, à petites vrilles simples. F. simples, alternes, à 3-5 lobes, ∅ 4-9 cm. Pétiole long. Fleurs jaunes, ∅ 3-10 mm., les mâles en bouquets, les femelles solitaires sur de longs pédoncules hirsutes. Cor. à 5 lobes. Etamines 3. Fruit charnu, indéhiscent, ovoïde à oblong, L 4-5 cm, couvert de longs poils brillants naissant sur de petites protubérances. Ecorce du fruit vert pâle, devenant blanc-crème. Pulpe verdâtre. Graines nombreuses, petites, blanches, lisses, ∅ 3-5 mm.

Ecologie et biologie : Sols secs à basse altitude. Propagation par graines.
Principales cultures infestées : Canne, Maraîchage.

43 ●

43 ○

44 ● 44 ●

45

MOMORDICA CHARANTIA L.
Fam : CUCURBITACEAE

Vern. names : *Miraculous vine, Cerasee, Balsam apple, Balsam pear, Cocouli, Karaila, Koukouli, Maiden apple*
Noms vern. : *Pawoka, Pom kouli, Paroka, Pomme coolie*

Range / Aire : *Now pantropical. All islands.* Devenu pantropical. Toutes îles.

Slender climber. Stems ribbed, glabrous or with scattered hairs. Tendrils simple. Lvs simple, alternate, ∅ 4-8 cm, with 5-7 palmate, ± toothed lobes, membranous. Male flowers solitary on very slender peduncles L ⩾5 cm ; calyx tube L 3 mm, with 5 lobes L 4 mm. Petals 5, yellow, L 10-15 mm × l 7-9 mm. Female flowers on shorter peduncles ; calyx tube L 10 mm, with lobes L 2-3 mm. Petals yellow. Fruit bright orange when ripe, fleshy but dehiscent (3 valves), L 4-8 cm, attenuate at both ends, with 8 longitudinal, tuberculate ribs. Seeds compressed, L ≈ 10 mm, covered with a bright red, edible pulp.

Ecology and biology : *Typically ruderal and associated with human activity. Prefers rather dry conditions. Propagated by seeds.*
Main infested crops : *All crops.*

Liane grimpante grêle. Tiges côtelées, glabres ou à poils épars. Vrilles simples. F. simples, alternes, ∅ 4-8 cm, à 5-7 lobes palmaires ± dentés, membraneuses. Fleurs mâles solitaires, sur des pédoncules L ⩾5 cm, très grêles ; tube du calice L 3 mm, à 5 lobes L 4 mm. Pétales 5, jaunes, L 10-15 mm × l 7-9 mm. Fleurs femelles sur des pédoncules plus courts ; calice à tube L 10 mm, à lobes L 2-3 mm. Pétales jaunes. Fruit d'un orangé vif, charnu mais déhiscent en 3 valves, L 4-8 cm en général, rétréci aux deux extrémités, à 8 côtes tuberculées longitudinales. Graines comprimées, L ≈ 10 mm, couvertes d'une pulpe rouge vif, comestible.

Ecologie et biologie : Rudérale typique, compagne de l'Homme. Préfère les situations assez sèches. Propagation par graines.
Principales cultures infestées : Toutes cultures.

46

ACALYPHA ARVENSIS Poepp. & Endl.
Fam : EUPHORBIACEAE

Vern. names : *none known*

Noms vern. : *Zouti bata, Ortie bâtarde*

Range / Aire : *Antilles. Most islands.* La plupart des îles.

An annual or short-lived perennial herb, finely hairy in all parts ; stem ± prostrate at the base, then erect, H 20-45 cm. Lvs simple, alternate, crenate, ovate-diamond-shaped, L 3-6 cm × B 1.5-4 cm. Apex acute or obtuse ; base rounded. basal nerves 3-5(-7). Petiole rather slender, L 0.5-2.5 cm, clearly shorter than the blade. Flowers in dense spikes, L 15-30 mm, terminal or towards branch ends, with rounded bracts, which are divided into 5-9 long, filiform segments. Not to be confused with Croton hirtus.
A. alopecuroidea *differs with the petiole longer than the blade, and with more deeply divided bracts. The lower spikes of* A. poiretii *are very slender, and bear only male flowers.*

Ecology and biology : *Waste places and cultivated soils in most environments. Propagated by seeds.*
Main infested crops : *All crops, mainly established bananas.*

Herbe annuelle ou brièvement pérenne, finement poilue en toutes parties, à tige ± couchée à la base, puis droite, H 20-45 cm. F. simples, alternes, crénelées, ovées-losangiques, L 3-6 cm × l 1,5-4 cm. Extrémité aiguë ou obtuse ; base arrondie. Nervures basales 3-5(-7). Pétiole assez grêle, L 0,5-2,5 cm, nettement plus court que le limbe. Fleurs en épis compacts, L 15-30 mm, terminaux ou vers les extrémités des branches, à bractées arrondies, divisées en 5-9 segments allongés et filiformes. Ne pas confondre avec *Croton hirtus.*
Acalypha alopecuroidea se distingue par un pétiole plus long que le limbe, et par des bractées plus profondément divisées. Chez *A. poiretii,* les épis inférieurs sont très grêles et ne portent que des fleurs mâles.

Ecologie et biologie : Lieux abandonnés et sols cultivés dans la plupart des situations écologiques. Propagation par graines.
Principales cultures infestées : Toutes cultures, surtout Bananeraies adultes.

45 ● 45 ●

46 ●

46 ●

47

CHAMAESYCE HYPERICIFOLIA (L.) Millsp.

Fam : EUPHORBIACEAE
Syn. : *Euphorbia glomerifera* (Millsp.) L. C. Wheeler, *E. hypericifolia* L.

Vern. names : *Milk weed, Milk grass, Spurge*

Noms vern. : *Ti lèt, Malonmé vè, Malnommée verte*

Range / Aire : *Tropical America. Probably all islands.* Amérique tropicale. Sans doute toutes les îles.

An annual herb, with an abundance of white latex, often somewhat woody at the base, erect or oblique, H 20-40(→ 80) cm, much branched near the top. Lvs simple, opposite, distichous, oblong or oblong-lanceolate, sometimes tinged with purple or reddish, L 15-30 mm ; base obliquely truncate, apex obtuse. Margin ± finely serrate. Petiole very short. Stipules lanceolate, acute, thin, toothed. Flowers very small, borne in small urns (involucres or cyathiums, with 4 glands on the edge, each surrounded by a white membrane). Urns gathered in globose, axillary and terminal groups, with no bracts. Capsule glabrous, green, 3-angled, ∅ ≈ 1 mm. Seeds red-brown, L < 1 mm.

Ecology and biology : *Waste places and cultivated soils in many environments. Propagated by seeds.*
Main infested crops : *All crops, except established bananas.*

Herbe annuelle à latex blanc abondant, souvent un peu lignifiée à la base, droite ou oblique, H 20-40(→ 80) cm, très ramifiée dans le haut. F. simples, opposées, distiques, oblongues ou oblongues-lancéolées, parfois teintées de pourpre ou rougeâtres, L 15-30 mm ; base obliquement tronquée, extrémité obtuse. Bord à dents très fines ± marquées. Pétiole très court. Stipules lancéolées, aiguës, fines, dentées. Fleurs très petites, réunies dans de petites urnes (involucres ou cyathiums, portant sur le bord 4 glandes, entourées chacune d'une membrane blanche). Urnes réunies en groupes globuleux axillaires et terminaux n'incluant pas de bractées. Capsule glabre, verte, à 3 angles, ∅ ≈ 1 mm. Graines brun-rouge L < 1 mm.

Ecologie et biologie : Lieux abandonnés et sols cultivés, dans beaucoup de situations écologiques. Propagation par graines.
Principales cultures infestées : Toutes cultures, sauf Bananeraies adultes.

48

CHAMAESYCE HIRTA (L.) Millsp.

Fam : EUPHORBIACEAE
Syn. : *Euphorbia hirta* L.

Vern. names : *Milk weed, Milk grass, Spurge, Garden spurge*
Noms vern. : *Malonmé, Zèb malonmé, Malonmé vwè, Malnommée, Herbe malnommée, Malnommée vraie*

Range / Aire : *Pantropical. All islands.* Toutes îles.

An annual herb, with an abundance of latex, erect, but usually bent at the top (sometimes prostrate and radiating), H 10-40 cm ; stem unbranched, or sparingly branched, often reddish, with numerous amber-coloured, sometimes rather stiff hairs. Lvs simple, opposite, distichous, ovate to oblong-lanceolate, ± falcate, sometimes tinged with purple, L 0.5-4 cm. Base oblique ; apex acute. Young lvs hairy on both surfaces. Margin finely serrate, at least in the upper part. Petiole L 1-2 mm. Flowers in involucres (see Ch. glomerifera*) with 5 triangular, ciliate lobes, and gathered in dense, axillary heads. Capsule ± 3-angled, ∅ ≈ 1 mm, covered with very short crisp hairs. Seeds salmon-pink, L < 1 mm.*

Ecology and biology : *Waste places and cultivated soils in many environments. Propagated by seeds.*
Main infested crops : *All crops, except established bananas.*

Herbe annuelle à latex blanc abondant, droite, mais en général incurvée à l'extrémité (parfois couchée et radiante), H 10-40 cm, à tige non ou peu ramifiée, souvent rougeâtre, à nombreux poils ambrés parfois assez raides. F. simples, opposées, distiques, ovées à oblongues-lancéolées, ± falciformes, parfois teintées de pourpre, L 0,5-4 cm. Base oblique ; extrémité aiguë. F. jeunes poilues sur les deux faces. Bord à petites dents aiguës, au moins au-dessus du milieu. Pétiole L 1-2 mm. Fleurs dans des involucres (voir *Ch. glomerifera*) à 5 lobes triangulaires ciliés, et réunis en glomérules denses axillaires. Capsule ± triangulaire, ∅ ≈ 1 mm, couverte de très courts poils crêpus. Graines rose-saumon, L < 1 mm.

Ecologie et biologie : Lieux abandonnés et sols cultivés, dans beaucoup de situations écologiques. Propagation par graines.
Principales cultures infestées : Toutes cultures, sauf Bananeraies adultes.

47 ●

47 ●

48 ●

47 ●

49

CHAMAESYCE HYSSOPIFOLIA (L.) Small
Fam : EUPHORBIACEAE
Syn. : *Euphorbia hyssopifolia* L.

Vern. names : *Milk weed, Milk grass, Spurge*

Noms vern. : *Malonmé vè, Malonmé fin, Malnommée verte, Malnommée fine*

Range / Aire : *Tropical America. Probably all islands.* Amérique tropicale. Sans doute toutes les îles.

Much like Ch. glomerifera, *with the following differences : Lvs often linear and ± falcate, specially those of the flowering branches. Stipules broadly triangular, ciliate. Inflorescences looser and greener, with oblong bracts. Capsule glabrous, acutely 3-angled, ∅ ≈ 2 mm. Seeds black or dark green, L ≈ 1 mm.*
Ch. nutans *Lag., less common, is a closely related species, which may (with some difficulty) be distinguished by the sessile involucral glands (powerful lens necessary).*

Ecology and biology : *Waste places and cultivated soils in many environments. Propagated by seeds.*
Main infested crops : *All crops, except established bananas.*

Ressemble beaucoup au *Ch. glomerifera,* avec les différences suivantes : F. souvent linéaires et ± falciformes, surtout celles des branches florifères. Stipules largement triangulaires, ciliées. Inflorescences plus lâches et plus vertes, avec des bractées oblongues. Capsule glabre, à 3 angles très nets, ∅ ≈ 2 mm. Graines noires ou vert foncé, L ≈ 1 mm.
Le *Ch. nutans* Lag., plus rare, est une espèce très voisine, qui se distingue (difficilement) par les glandes de l'involucre sessiles (forte loupe nécessaire).

Ecologie et biologie : Lieux abandonnés et sols cultivés, dans beaucoup de situations écologiques. Propagation par graines.
Principales cultures infestées : Toutes cultures, sauf Bananeraies adultes.

50

CHAMAESYCE PROSTRATA (Ait.) Small
Fam : EUPHORBIACEAE
Syn. : *Euphorbia prostrata* Ait.

Vern. names : *Dove weed, Blackweed, Black milkweed, Spurge*
Noms vern. : *Ti tengn nwè, Pay tè, Petite teigne noire, Paille terre*

Range / Aire : *Tropical America. Now pantropical. Probably all islands.* Amérique tropicale. Devenu pantropical. Sans doute toutes les îles.

Small prostrate herb, radiating, ± rooting at nodes. Stems ± red, numerous, forking (dichotomous), glabrous, or with short hairs towards the end. Lvs simple, opposite, distichous, sessile or nearly so, ovate or elliptical, dark to reddish green, L 3-8 mm, obtuse or rounded at apex, oblique at base. Margin with tiny teeth towards apex. Flowers in small axillary involucres (see Ch. glomerifera*). Capsule drooping, 3-angled, ∅ 1-1.5 mm, glabrous, but with long hairs along the 3 edges. Seeds pink to mauve.*

Ecology and biology : *Sunny waste places, and open fields in most environments. Propagated by seeds.*
Main infested crops : *All crops, except established bananas.*

Petite herbe couchée, radiante, se racinant ± aux noeuds. Tiges ± rouges, nombreuses, se ramifiant en fourche (dichotomes), glabres, ou à poils courts vers l'extrémité. F. simples, opposées, distiques, presque sessiles, ovées ou elliptiques, vert foncé à vert rougeâtre, L 3-8 mm, obtuses ou arrondies à l'extrémité, obliques à la base. Bord à très petites dents vers l'extrémité. Fleurs en involucres (voir *Ch. glomerifera*) petits, axillaires. Capsule pendante, à 3 angles, ∅ 1-1,5 mm, glabre, mais à longs poils le long des 3 angles. Graines roses ou mauves.

Ecologie et biologie : Lieux abandonnés bien éclairés et cultures ouvertes, dans la plupart des conditions de milieu. Propagation par graines.
Principales cultures infestées : Toutes cultures, sauf Bananeraies adultes.

49 ● 49 ●

50 ●

50 ●

51

CHAMAESYCE THYMIFOLIA (L.) Millsp.
Fam : EUPHORBIACEAE
Syn. : *Euphorbia thymifolia* L.

Vern. names : *Milk weed, Milk grass, Spurge, Thyme-leaved spurge*
Noms vern. : *Ti tengn, Petite teigne*

Range / Aire : *Pantropical. Probably all islands.* Sans doute toutes les îles.

Often confused with Ch. prostrata, *and has the same habit, but may be distinguished by the following characteristics : Stems whitish, sometimes reddish brown or purple. Lvs oblong, L → 10 mm. Capsule covered with short hairs, without long hairs at angles.*

Ecology and biology : *see* Ch. prostrata.
Main infested crops : *see* Ch. prostrata.

Souvent confondue avec *Ch. prostrata,* de même port, cette espèce s'en distingue par les caractères suivants : Tiges blanchâtres, parfois brun rougeâtre ou pourpres. F. oblongues, L → 10 mm. Capsule couverte de poils courts, sans longs poils aux angles.

Ecologie et biologie : voir *Ch. prostrata.*
Principales cultures infestées : voir *Ch. prostrata.*

52

CROTON HIRTUS L'Hérit.
Fam : EUPHORBIACEAE

Vern. names : *none known*

Noms vern. : *Zèb (a) zowtolan, Zouti savann, Herbe à ortolans, Ortie savane*

Range / Aire : *Tropical America. Probably most islands.* Amérique tropicale. Sans doute la plupart des îles.

An annual erect herb, ± branched, H 25-60 cm, covered with stiff, erect hairs. Lvs simple, alternate, ovate, L 3-7 cm × B 1-5 cm, rounded and with 2 glands at the base. Basal nerves 3-5. Lower surface with many fine hairs. Margin doubly toothed. Flowers white, in short , terminal, sessile racemes, L 1.5-6 cm × ∅ 10-13 mm. Bracts linear, with glands. Male flowers (towards the end of the racemes) : calyx of 5 sepals, with stellate hairs. Petals a little longer than the sepals. Stamens 10-11, glabrous. Female flowers (at the base of the racemes) : sepals unequal. Capsule globose, hirsute, L 3-4 mm, surrounded by the long, unequal, persistent sepals, L 7-12 mm. Not to be confused with Acalypha *spp.*

Ecology and biology : *Waste places and cultivated soils in most environments. Propagated by seeds.*
Main infested crops : *All crops, except established bananas.*

Herbe annuelle érigée, ± branchue, 25-60 cm, hérissée de poils raides. F. simples, alternes, ovées, L 3-7 cm × l 1-5 cm ; base arrondie, portant 2 glandes. Nervures basales 3-5. Face inférieure couverte de nombreux poils fins. Bord de la feuille doublement denté. Fleurs blanches, en courtes grappes terminales, sessiles, L 1,5-6 cm × ∅ 10-13 mm. Bractées linéaires, munies de glandes. Fleurs mâles (à l'extrémité) : calice de 5 sépales, à poils étoilés. Pétales un peu plus longs que les sépales. Etamines 10-11, glabres. Fleurs femelles (à la base) : sépales inégaux. Capsule globuleuse, L 3-4 mm, hirsute, entourée des longs sépales inégaux, persistants, L 7-12 mm. Ne pas confondre avec *Acalypha* spp.

Ecologie et biologie : Lieux abandonnés et sols cultivés dans la plupart des situations écologiques. Propagation par graines.
Principales cultures infestées : Toutes cultures, sauf Bananeraies adultes.

51 ●

51 ●

52 ● 52 ●

53

CROTON LOBATUS L.

Fam : EUPHORBIACEAE

Vern. names : *Croton*

Noms vern. : *Mouzanbé blan, Gonbo fwansèz, Mouzambé blanc, Gombo français*

Range / Aire : *Tropical America. Now almost pantropical. All islands.* Amérique tropicale. Devenu presque pantropical. Toutes les îles.

An annual herb or sometimes a shrub, 0.25-1 (-1.5) m. Younger stems with reddish-yellow hairs, the longer ones simple, the shorter stellate. Lvs membranous, rounded in outline, ∅ 3-10 cm, with 3-5 palmate, elliptical lobes, pointed at the apex. Margin serrate. Petiole variable in length. Flowers greenish, in terminal elongate spikes, L 6-12 cm. Female flowers at the base, with 5 ± spathulate, ± hairy calyx lobes, bearing glands. Male flowers towards the end of the spike, with a glabrous calyx ; petals lanceolate, small. Capsule globose-ellipsoid, with many scattered hairs. Seeds ochre-coloured, ± distinctly 4-angled, L 5 mm × B 3 mm.

Ecology and biology : *Waste places and cultivated soils in many environments. Propagated by seeds.*

Main infested crops : *All crops, except established bananas.*

Herbe annuelle, ou parfois arbrisseau, H 0,25-1 (-1,5) m. Jeunes branches à poils roux, les longs simples, les courts étoilés. F. membraneuses, de contour arrondi, ∅ 3-10 cm, à 3-5 lobes palmaires elliptiques, pointus à l'apex. Bord des lobes denté en scie. Pétiole de longueur variable. Fleurs verdâtres, en épis terminaux allongés. Fleurs femelles à la base : les 5 lobes du calice ± spatulés, ± poilus, portant des glandes. Les mâles à l'extrémité, à calice glabre ; pétales lancéolés, petits. Capsule globuleuse-ellipsoïde, à nombreux poils épars. Graines ocrées, à 4 angles ± nets, L 5 mm × l 3 mm.

Ecologie et biologie : Lieux abandonnés et sols cultivés, dans beaucoup de situations écologiques. Propagation par graines.

Principales cultures infestées : Toutes cultures, sauf Bananeraies adultes.

54

EUPHORBIA HETEROPHYLLA L.

Fam : EUPHORBIACEAE

Syn. : *Poinsettia heterophylla* (L.) Kl. & Garcke

Vern. names : *Red milkweed, Milk weed, Milk grass, Spurge*

Noms vern. : *Gwo malonmé, Grosse malnommée*

Range / Aire : *Tropical and subtropical America. Now almost pantropical. All islands.* Amérique tropicale et subtropicale. Devenu presque pantropical. Toutes les îles.

An erect annual (or sometimes perennial) herb, with an abundance of white latex, glabrous or ± hairy, usually erect, 25-90 cm. Stems hollow, leafy towards the end, the lower ones often spreading. Lvs simple, alternate, very variable in shape, sometimes even on the same plant : linear to rounded, very often sinuate, or fiddle-shaped, L 4-10 cm, the upper ones (and the bracts) speckled with brown or with greyishgreen, at least at the base. Flowers small, in urns (involucres : see Chamaesyce glomerifera*) gathered in terminal groups, subtended by leaf-like bracts. Gland of the involucre small, rounded, greenish. Capsule ∅ ≈ 6 mm, in 3 parts. Seeds greyish, L ≈ 2 mm.*

Ecology and biology : *Waste places and cultivated soils in many environments. Propagated by seeds.*

Main infested crops : *Vegetables, root crops.*

Herbe dressée, à latex blanc abondant, en général annuelle (parfois pérenne), glabre ou ± poilue, le plus souvent très droite, H 25-90 cm. Tiges creuses, feuillues aux extrémités, les inférieures souvent étalées. F. simples, alternes, de formes très diverses, parfois sur le même pied : linéaires à arrondies, très souvent sinuées, ou en forme de violon, L 4-10 cm, les supérieures (ainsi que les bractées) tachées de brun ou de gris-vert, au moins à la base. Fleurs petites, dans des urnes (involucres : voir *Chamaesyce glomerifera*) en groupes terminaux, soutenus par des bractées ressemblant aux F. Glande de l'involucre petite, ronde, verdâtre. Capsule ∅ ≈ 6 mm, en 3 parties. Graines grisâtres, L ≈ 2 mm.

Ecologie et biologie : Lieux abandonnés et sols cultivés, dans beaucoup de situations écologiques. Propagation par graines.

Principales cultures infestées : Cultures vivrières et maraîchères.

53 ● 53 ●

54 ● 54 ●

54 ●

55

JATROPHA GOSSYPIFOLIA L.

Fam : EUPHORBIACEAE

Vern. names : *Barricado, Cock and hen, Wild physic nut, Belly-ache bush*

Noms vern. : *Médsinyé bata, Médsinyé wouj, Bwa zowtolan, Grèn zowtolan, Zèb zowtolan, Médecinier bâtard, Médecinier rouge, Bois (à) ortolans, Graines (à) ortolans, Herbe (à) ortolans*

Range / Aire : *Tropical America. Introduced in West Africa. All islands.* Amérique tropicale. Introduit en Afrique occidentale. Toutes îles.

An erect herb with latex, rather woody, at least at the base, sparingly branched, 50-120 cm, the green or younger parts covered with sticky glandular hairs. Stems rather thick. Young stems and lvs often tinged with purple brown. Lvs simple, alternate, L 3-14 cm, palmately 3-5-lobed. Lobes ovate, pointed, entire or with very small teeth. Base cordate. Stipules cut into thread-like glandular segments. Flowers in terminal and lateral groups (cymes). Cor. L 5 mm × ∅ 5-7 mm, blood-red, with 5 spreading obovate petals. Stamens 8-12. Capsule in 3 parts, flattened at both ends, L ≈ 15 mm × ∅ ≈ 10 mm. Seeds 3, mottled, L 7-8 mm.

Ecology and biology : *Waste places and cultivated soils in dry conditions, mainly on chromic vertisols, calcic phaeozems and rendzinas. Propagated by seeds.*

Main infested crops : *Root crops, vegetables, pastures.*

Herbe érigée, à latex, assez ligneuse, au moins à la base, peu branchue, H 50-120 cm, les parties vertes ou jeunes couvertes de poils glanduleux collants. Tiges assez grosses. Tiges et feuilles jeunes souvent teintées de brun-pourpre. F. simples, alternes, L 3-14 cm, à 3-5 lobes palmaires ovés, pointus, entiers ou à très petites dents. Base cordée. Stipules divisées en segments filiformes glandulaires. Fleurs en groupes (cymes) terminaux et latéraux. Cor. L 5 mm × ∅ 5-7 mm, rouge-sang, à 5 pétales obovés, étalés. Etamines 8-12. Capsule en 3 parties, aplatie aux deux extrémités, L ≈ 15 mm × ∅ ≈ 10 mm. Graines 3, tachetées, L 7-8 mm.

Ecologie et biologie : Lieux abandonnés et sols cultivés en climat sec, surtout sur vertisols, sols calciques et rendzines. Propagation par graines.

Principales cultures infestées : Racines, Maraîchage, Prairies.

56

PHYLLANTHUS AMARUS

Schum. & Thonn.

Fam : EUPHORBIACEAE

Vern. names : *Seed under leaf, Carry-me-seed, Egg woman*

Noms vern. : *Grèn anba fèy blan, Graines en-bas feuilles blanc*

Range / Aire : *Tropical America. Now pantropical.* Amérique tropicale. Devenu pantropical.

An annual herb, glabrous, light to whitish-green, erect, H 10-50 cm. Main stem commonly single, smooth, cylindrical. Horizontal branches L 4-12 cm, crowded towards the top of the main stem. Lvs simple, alternate, entire, distichous, 15-30 on a branch, L 5-11 mm × B 2-6 mm. Base and apex obtuse or rounded. Flowers very small, one male and one female in each axil or nearly so, with very short pedicels. Perianth with 5(-6) segments. Capsule ∅ ≈ 2 mm, smooth. Seeds tawny, with 5-6 longitudinal lines on the back.

Ecology and biology : *Cultivated soils. Very plastic. Avoids shady places. Propagated by seeds.*

Main infested crops : *All crops, except established bananas.*

Herbe annuelle, glabre, d'un vert clair à blanchâtre, dressée, H 10-50 cm. Tige principale en général simple, lisse, cylindrique. Rameaux horizontaux L 4-12 cm, ramassés vers le haut de la tige principale. F. simples, alternes, entières, distiques, 15-30 par rameau, L 5-11 mm × l 2-6 mm. Base et extrémité obtuses ou arrondies. Fleurs très petites, une mâle et une femelle à chaque aisselle ou presque, à pédicelles très courts. Périanthe de 5(-6) segments. Capsule ∅ ≈ 2 mm, lisse. Graines brun clair, à 5-6 lignes longitudinales sur le dos.

Ecologie et biologie : Sols cultivés. Très plastique. Evite l'ombre. Propagation par graines.

Principales cultures infestées : Toutes cultures, sauf bananiers adultes.

55

56 56

56

57

PHYLLANTHUS DEBILIS Klein ex Willd.
Fam : EUPHORBIACEAE

Vern. names : *Seed-under-leaf*

Noms vern. : *Grèn anba fèy blan, Graines en-bas feuilles blanc*

Range / Aire : *South-Eastern Asia. Naturalized in most of the Lesser Antilles.* Asie du Sud-Est. Naturalisé dans la plupart des Petites Antilles.

An annual herb, H 30-70 cm ; main stem smooth, glabrous, angled, whitish, not or sparingly branched, bearing at the base 9-12 persistent primary, not distichous lvs. Lvs alternate, simple, entire, distichous on horizontal twigs, elliptical-lanceolate, obtuse or acute at both ends, L 15-35 mm × B 4-7 mm ; upper surface dull green, the lower surface ± whitish. Flowers unisexual, the female ones towards the end of each twig, the male ones towards the base. Perianth of 6 segments. Capsule L 1.5-2 mm × ∅ ≈ 2.5 mm. Seeds with 5-7 longitudinal lines on the back.

Ecology and biology : *Cultivated soils, in many environments. Propagated by seeds.*
Main infested crops : *Vegetables, root crops, sugarcane.*

Herbe annuelle, H 30-70 cm, à tige principale lisse, glabre, angulée, blanchâtre, non ou peu ramifiée, et portant à la base 9-12 feuilles primaires persistantes, non distiques. F. alternes, simples, entières, distiques sur des rameaux horizontaux, elliptiques-lancéolées, obtuses ou aiguës aux deux extrémités, L 15-35 mm × l 4-7 mm, d'un vert terne en dessus, ± blanchâtres en dessous. Fleurs unisexuées, les femelles vers l'extrémité de chaque rameau, les mâles vers la base. Périanthe de 6 segments. Capsule L 1,5-2 mm × ∅ ≈ 2,5 mm. Graines à 5-7 lignes longitudinales sur le dos.

Ecologie et biologie : Sols cultivés, dans beaucoup de situations. Propagation par graines.
Principales cultures infestées : Maraîchage, Racines, Canne.

58

PHYLLANTHUS TENELLUS Roxb.
Fam : EUPHORBIACEAE

Vern. names : *Seed under leaf, Carry-me-seed, Egg woman*
Noms vern. : *Grèn anba fèy wouj, Graines en-bas feuilles rouges*

Range / Aire : *Africa. Naturalized in most of the Lesser Antilles.* Afrique. Naturalisé dans la plupart des petites Antilles.

Annual herb, bare at the base, H 15-85 cm. Main stem cylindrical, smooth, often tinged with red or brown. Lateral twigs generally in pairs : one unbranched, with large lvs (L 8-15 mm × B 4-8 mm), the other with 2-5 secondary twigs with small lvs (L 4-8 mm × B 2-5 mm). Lvs obovate, distichous. Flowers 1-3 male and 1-2 female in every leaf axil. Pedicels long, filiform (specially those of the female flowers : 4-6 mm), ascending, projecting above the plane of the lvs. Perianth of 5 segments. Capsule L 1 mm × ∅ 2 mm, smooth. Seeds punctate in transverse lines on the back.

Ecology and biology : *Cultivated soils in moist and shady places. Propagated by seeds.*
Main infested crops : *Bananas, rootcrops.*

Herbe annuelle H 15-85 cm, nue dans le bas. Tige cylindrique, lisse, souvent teintée de rouge ou de brun. Rameaux en général par 2 : l'un non ramifié, à F. grandes (L 8-15 mm × l 4-8 mm), l'autre portant 2 à 5 rameaux secondaires à petites F. (L 4-8 mm × l 2-5 mm). F. obovées, distiques. Fleurs 1-3 mâles et 1-2 femelles à chaque aisselle foliaire. Pédicelles longs, filiformes (surtout ceux des fleurs femelles : 4-6 mm), ascendants, dépassant le plan des F. Périanthe de 5 segments. Capsule L 1 mm × ∅ 2 mm, lisse. Graines transversalement ponctuées sur le dos.

Ecologie et biologie : Sols cultivés, dans les lieux frais et ombragés. Propagation par graines.
Principales cultures infestées : Bananeraies, Racines.

57 ●

57 ●

57 ●

58 ●

58 ●

58 ●

59

PHYLLANTHUS URINARIA L.
Fam : EUPHORBIACEAE

Vern. names : *Seed under leaf, Carry-me-seed, Egg woman, Creole senna, Chamber bitter*
Noms vern. : *Grèn anba fèy wouj, Graines en-bas feuilles rouges*

Range / Aire : *Tropical Asia. Now pantropical.* Asie tropicale. Devenu pantropical.

An erect annual herb, H 15-50 cm. Stems glabrous, cylindrical, often reddish. Lvs dark green and often tinged with red above, paler beneath, distichous on horizontal secondary twigs, simple, alternate, entire, crowded, L 5-18 mm × B 2-5 mm, the terminal ones ± falcate. Flowers axillary; perianth of 6 segments. Female flowers along the basal part of the twig. Capsule ± rough, ∅ 2-2.5 mm. Seeds transversely ribbed on the back.

Ecology and biology : *Cultivated soils. Very plastic. Propagated by seeds.*
Main infested crops : *All crops.*

Herbe annuelle droite, H 15-50 cm. Tiges glabres, cylindriques, souvent rougeâtres. F. d'un vert sombre et souvent teintées de rouge en dessus, plus claires en dessous, distiques sur des rameaux secondaires horizontaux, simples, alternes, entières, très rapprochées, L 5-18 mm × l 2-5 mm, celles de l'extrémité ± falciformes. Fleurs axillaires, à périanthe de 6 segments, les femelles vers la base des rameaux. Capsule ± rugueuse, ∅ 2-2,5 mm. Graines transversalement côtelées sur le dos.

Ecologie et biologie : Sols cultivés. Très plastique. Propagation par graines.
Principales cultures infestées : Toutes cultures.

60

RIÇINUS COMMUNIS L.
Fam : EUPHORBIACEAE

Vern. names : *Castor oil plant, Oil nut, Palma Christi, Castor bean, Kawapat*
Noms vern. : *Karapat, Ricin, Palma Christi (Maskéti en Haïti)*

Range / Aire : *Pantropical. All islands.* Toutes îles.

A tall perennial herb, or a shrub, H 0.6-5 m, potentially a small tree. Stems thick, ∅ → 4 cm, glaucous-green. Lvs alternate, simple, peltate, rounded in outline, ∅ 10-60 cm, with 7-11 palmate, toothed, acute to pointed lobes. Flowers with a simple perianth, borne in terminal racemes, the female flowers above, the male (cream-white) below. Male flowers with a 3-5-lobed perianth; stamens numerous, the filaments repeatedly branched. Perianth of the female flowers caducous. Capsule ± ovoid, in 3 parts, L 12-16 mm, spiny. Seeds shiny, smooth, L 8-13 mm.
There is a variety with the lvs and stems ± tinged with brown-red or with red.

Ecology and biology : *Waste places and cultivated soils in many environments. Propagated by seeds.*
Main infested crops : *Most crops.*

Grande herbe pérenne, ou arbuste, H 0,6-5 m, pouvant devenir un petit arbre. Tiges grosses, ∅ → 4 cm, d'un vert glauque. F. alternes, simples, peltées, de contour arrondi, ∅ 10-60 cm, à 7-11 lobes palmaires dentés, aigus ou pointus. Fleurs à périanthe simple, en grappes terminales, les femelles vers l'extrémité, les mâles (blanc-crème) vers la base. Fleurs mâles à périanthe à 3-5 lobes ; étamines nombreuses, à filets plusieurs fois ramifiés. Fleurs femelles à périanthe caduque. Capsule ± ovoïde, en 3 parties, L 12-16 mm, épineuse. Graines luisantes, lisses, L 8-13 mm.
Il existe une variété à feuilles et tiges plus ou moins teintées de brun-rouge ou de rouge.

Ecologie et biologie : Lieux abandonnés et sols cultivés, dans beaucoup de situations écologiques. Propagation par graines.
Principales cultures infestées : La plupart.

59 ●

59 ●

59 ○

59 ○

60 ●

60 ○

60 ●

61

CALOPOGONIUM MUCUNOIDES Desv.
Fam : FABACEAE

Vern. names : *none known*
Noms vern. : *Pwa blé, Pwa blé savann, Pois bleu, Pois bleu savane*

Range / Aire : *Tropical America. Probably most of the islands.* Amérique tropicale. Sans doute la plupart des îles.

Herbaceous vine, covered with yellowish hairs. Stipule small. Lvs alternate, trifoliolate. Leaflets ovate-diamond-shaped, L 3-8(-14) cm × B 2-8 cm, the lateral ones very oblique. Apex obtuse or acute. Flowers in axillary, hirsute racemes which are variable in length. Calyx L 5-8 mm. Cor. L 8-10 mm, pale blue to purple-blue. Pods straight or ± curved, spreading to reflexed when ripe, L 2-7 cm × B 4-7 mm, impressed between the seeds and covered with yellowish, ± stiff hairs.

Ecology and biology : *Wet soils, and deep soils under heavy rainfall at low elevations. Propagated by seeds.*
Main infested crops : *Nurseries, vegetables.*

Liane herbacée, couverte de poils jaunâtres. Stipules petites. F. alternes, à 3 folioles ovées-losangiques, L 3-8(-14) cm × l 2-8 cm, les latérales très obliques. Extrémité obtuse ou aiguë. Fleurs en grappes axillaires hirsutes, de longueur variable. Calice L 5-8 mm. Cor. L 8-10 mm, bleu clair à bleu-violacé. Gousses droites ou ± incurvées, étalées à réfléchies à maturité, L 2-7 cm × l 4-7 mm, imprimées entre les graines et couvertes de poils jaunâtres ± raides.

Ecologie et biologie : Sols humides, ou sols profonds bien arrosés à basse altitude. Propagation par graines.
Principales cultures infestées : Pépinières, Maraîchage.

62

CENTROSEMA PUBESCENS Benth.
Fam : FABACEAE

Vern. names : *None known*
Noms vern. : *Pwa bata, Pwa hazyé, Pwapwa mawon, Pois bâtard, Pois hallier, Pois-pois marron*

Range / Aire : *Tropical America. Antg, Guad, Mart, StV, Trin, and probably many other islands.* Amérique tropicale. Antg, Guad, Mart, StV, Trin, et sans doute beaucoup d'autres îles.

Trailing (and rooting at the nodes) and climbing perennial vine, ± woody at the base, with long threadlike, hairy stems. Lvs alternate, with 3 leaflets acute or obtuse, rounded at base, ± pubescent (becoming glabrous above), L 4-7 cm × B 2-4.5 cm, with a single basal nerve. Stipules ovate, acute, L 2-3 mm. Flowers few, on axillary peduncles. Bracteoles ovate-elliptic, 8-10 mm. Calyx L 10-12 mm, the lower lobe linear, L 5-7 mm, much longer than the upper one. Standard ∅ 3-4 cm, white (ageing creamy), striped with purple inside, yellowish and hairy outside. Pod straight, L ± 12 cm × B 6 mm, with thickened margins, and with a terminal, straight and long tapering beak, L ≈ 12 mm. Seeds dark brown, ∅ 3-4 mm.

Ecology and biology : *Rainfall > 1700 mm. Propagated by seeds and by rooted stem cuttings.*
Main infested crops : *Most crops.*

Liane rampante (et dans ce cas émettant des racines aux noeuds) et grimpante, pérenne, ± ligneuse à la base, à longues tiges filiformes, pubescentes. F. alternes, à 3 folioles aiguës ou obtuses, arrondies à la base, ± pubescentes (devenant glabres en dessus), L 4-7 cm × l 2-4,5 cm, à une seule nervure basale. Stipules ovées, aiguës, L 2-3 mm. Fleurs peu nombreuses, sur des pédoncules axillaires. Bractéoles ovées-elliptiques, L 8-10 mm. Calice L 10-12 mm, à lobe inférieur linéaire, L 5-7 mm, beaucoup plus long que le supérieur. Etendard ∅ 3-4 cm, blanc (devenant crème), rayé de pourpre à l'intérieur, jaunâtre et poilu à l'extérieur. Gousse droite, L ± 12 cm × l 6 mm, à marges épaissies, et à bec terminal droit et effilé, L ≈ 12 mm. Graines brun foncé, ∅ 3-4 mm.

Ecologie et biologie : Pluies > 1700 mm. Propagation par graines, et par fragments de tiges racinées.
Principales cultures infestées : La plupart.

61

61

61

61

61

62

63

CENTROSEMA VIRGINIANUM (L.) Benth.
Fam : FABACEAE

Vern. names : *Wild blue vine, Bluebell, Wild pea*

Noms vern. : *Ti pwa, Pwapwa, Pwa savann, Pwa mawon savann, Petit pois, Pois-pois, Pois savane, Pois marron savane*

Range / Aire : *Tropical America. Naturalized in western Africa. In most islands.* Amérique tropicale. Naturalisé en Afrique occidentale. Dans la plupart des îles.

Slender trailing and climbing vine, with thread-like stems. Lvs alternate, 3-foliolate. Leaflets glabrous, ovate or oblong-lanceolate (var. virginianum*), or linear-lanceolate (var.* angustifolium*), L 2-7 cm × B 1-2.5 cm. Base rounded. Apex variable. Flowers 1-4 on a peduncle. Bracts ovate, striate, L 6-10 mm. Calyx with long linear-lanceolate lobes, L 8-12 mm. Cor. blue or violet-blue (seldom white). Standard ∅ 2.5-3 cm, whitish and hairy outside. Pod L 5-12 cm × B 3-4 mm, with thickened margins. Terminal beak straight and long-tapering, L 5-10 mm. Seeds dark brown or black, L 2-2.5 mm × B 1.5 mm.*

Ecology and biology : *Waste places and cultivated soils in rather dry conditions. Propagated by seeds.*
Main infested crops : *Vegetables, root crops, sugar cane.*

Liane grêle rampante et grimpante, à tiges filiformes. F. alternes, à 3 folioles glabres, ovées ou oblongues-lancéolées (var. *virginianum*), ou linéaires-lancéolées (var. *angustifolium*), L 2-7 cm × l 1-2,5 cm. Base arrondie. Extrémité variable. Fleurs 1-4 par pédoncule. Bractéoles ovées, L 6-10 mm, striées. Calice à longs lobes linéaires-lancéolés, L 8-12 mm. Cor. bleue ou indigo (rarement blanche). Etendard ∅ 2,5-3 cm, blanchâtre et poilu à l'extérieur. Gousse L 5-12 cm × l 3-4 mm, à marges épaissies. Bec terminal droit et effilé, L 5-10 mm. Graines brun sombre ou noires, L 2-2,5 mm × l 1,5 mm.

Ecologie et biologie : Lieux abandonnés et sols cultivés en situation assez sèche. Propagation par graines.
Principales cultures infestées : Légumes, Racines, Canne.

64

CROTALARIA RETUSA L.
Fam : FABACEAE

Vern. names : *Yellow shak-shak, Wild sweet pea, Yellow sweet pea, Rattle weed*
Noms vern. : *Chacha, Tchatcha, Sonnèt, Pistach bata, Pwa zonbi, Sonnette, Pistache bâtarde, Pois zombie*

Range / Aire : *Pantropical. All islands.* Toutes îles.

Annual herb, erect, not or sparingly branched, H 30-90 cm. Stem rather thick, channelled. Stipules absent, or very small and short-lived. Lvs simple, alternate, entire, oblanceolate-oblong, L 3-10 cm × B 1-4 cm. Apex rounded or flattened, ± mucronate. Base tapering. Upper surface glabrous, the lower with many small white hairs. Petiole L 2-5 mm. Flowers in a terminal erect raceme, L 15-30 cm. Calyx 2-lipped, L 12-15 mm, tinged with brown on the back, finely hairy. Cor. yellow. Standard with brown-purple lines inside, ± brownish outside, L 2-2.5 cm × B 2.4-3 cm. Pod blackish when ripe, glabrous, L 3-4 cm × ∅ 7.5-10 mm, inflated. Seeds many, small.

Ecology and biology : *Waste places and cultivated soils in many environments. Propagated by seeds.*
Main infested crops : *All crops, except established bananas.*

Herbe annuelle droite, non ou peu ramifiée, H 30-90 cm. Tige assez grosse, cannelée. Stipules nulles ou très petites et fugaces. F. simples, alternes, entières, oblancéolées-oblongues, L 3-10 cm × l 1-4 cm. Extrémité arrondie ou aplatie, souvent mucronée. Base progressivement rétrécie. Face supérieure glabre, l'inférieure à nombreux petits poils blancs. Pétiole L 2-5 mm. Fleurs en grappe terminale dressée, L 15-30 cm. Calice à 2 lèvres, L 12-15 mm, teinté de brun sur le dos, finement poilu. Cor. jaune. Etendard rayé de brun-pourpre à l'intérieur, ± brunâtre à l'extérieur, L 2-2,5 cm × l 2,4-3 cm. Gousse noirâtre à maturité, glabre, L 3-4 cm × ∅ 7,5-10 mm, pleine d'air. Graines nombreuses, petites.

Ecologie et biologie : Lieux abandonnés et sols cultivés, dans beaucoup de situations écologiques. Propagation par graines.
Principales cultures infestées : Toutes cultures, sauf Bananeraies adultes.

63 ●

63 ●

64 ○

64 ●

64 ●

65

MACROPTILIUM LATHYROIDES
(L.) Urb.
Fam : FABACEAE
Syn. : *Phaseolus lathyroides* L.

Vern. names : *Wild dolly, Wild pea, Scarlet bean*
Noms vern. : *Pwa pwazon, Pwa zonbi, Pwa wouj, Pois poison, Pois zombie, Pois rouge*

Range / Aire : *Tropical America. Now pantropical.* Amérique tropicale. Devenu pantropical.

An annual or perennial herb, sometimes woody at base, H 30-75 cm. Main stem erect. Branches often diffuse and slightly climbing, with scattered silky hairs. Lvs alternate, trifoliolate ; leaflets ovate-oblong or ovate-lanceolate, L 2-7 cm, finely hairy on both surfaces. Base and apex variable. Stipules variable, L → 10 mm. Racemes loose , long, ± wavy. Flowers borne in pairs. Calyx L 4-6 mm, with 5 short teeth. Cor. blood-red, L ≈ 15 mm, with the keel non-symmetrical, ± coiled. Pod straight or ± curved, linear, almost cylindrical, ± drooping, L 8-12 cm × ∅ 2.5-3 mm, with appressed hairs. Seeds brown, numerous, L 3-3.5 mm.

Ecology and biology : *Waste places, natural pastures, fields at low elevations, mainly on flat and deep soils in rather dry areas. Propagated by seeds.*
Main infested crops : *Sugarcane, vegetables.*

Herbe annuelle ou pérenne, parfois lignifiée à la base, H 30-75 cm. Tige principale érigée. Branches souvent diffuses et un peu grimpantes, à poils soyeux épars. F. alternes, à 3 folioles ovées-oblongues ou ovées-lancéolées, L 2-7 cm, finement poilues sur les deux faces. Base et extrémité variables. Stipules variables, L → 10 mm. Grappes lâches allongées, ± flexueuses. Fleurs par paires. Calice L 4-6 mm, à 5 dents courtes. Cor. rouge-sang, L ± 15 mm, à carène dissymétrique, ± enroulée. Gousse droite ou ± courbe, linéaire, presque cylindrique, ± pendante, L 8-12 cm × ∅ 2,5-3 mm, à poils appliqués. Graines brunes, nombreuses, L 3-3,5 mm.

Ecologie et biologie : Lieux abandonnés, prairies naturelles, champs à basse altitude, surtout sur sols plats et profonds dans les zones assez sèches. Propagation par graines.
Principales cultures infestées : Canne, Maraîchage.

66

MUCUNA PRURIENS (L.) DC.

Fam : FABACEAE

Vern. names : *Cow itch, Itch weed, Pois gwatter*
Noms vern. : *Pwa graté, Pois gratter, Poil à gratter*

Range / Aire : *Pantropical. All islands.* Toutes les îles.

A trailing and climbing annual vine. Lvs alternate, 3-foliolate ; leaflets diamond-shaped or nearly triangular (especially the lateral ones), L 7-15 cm × B 6-9 cm ; apex obtuse or acute. Lower surface with appressed silvery hairs. Petiole L 10-30 cm. Flowers in ± long racemes, on axillary peduncles L 10-30 cm. Calyx bellshaped, L ≈ 12 mm. Cor. purple-blue. Standard folded, L ≈ 18 mm. Wings L 34 mm. Keel L > 34 mm. Pod oblong, L 4-8 cm × l ≈ 15 mm, covered with yellowish-brown, stinging hairs. Seeds 2-6, L ≈ 10 mm, brown mottled black.
Preharvest burning of cane fields caused this species to become less common ; but it may be increasing where burning in banned.

Ecology and biology : *Almost exclusively cane fields. Propagated by seeds.*
Main infested crops : *Sugarcane.*

Liane annuelle, rampante et grimpante. F. alternes, à 3 folioles losangiques ou presque triangulaires (surtout les latérales), L 7-15 cm × l 6-9 cm ; extrémité obtuse ou aiguë. Face inférieure à poils argentés couchés. Pétiole L 10-30 cm. Fleurs en grappes ± longues, sur des pédoncules axillaires L 10-30 cm. Calice en cloche, L ≈ 12 mm. Cor. bleu-violacé. Etendard plié, L ≈ 18 mm. Ailes L 34 mm. Carène L > 34 mm. Gousse oblongue, L 4-8 cm × l ≈ 15 mm, couverte de poils brun-jaunâtres très irritants. Graines 2-6, L ≈ 10 mm, brunes, tachetées de noir.
Le brûlage de la Canne avant récolte a fait régresser considérablement cette espèce ; mais elle peut se développer de nouveau dans les pays où le brûlage est interdit.

Ecologie et biologie : Presque exclusivement champs de Canne. Propagation par graines.
Principales cultures infestées : Canne.

65

65

66

66

67

RHYNCHOSIA MINIMA (L.) DC.
Fam : FABACEAE

Vern. names : *Burnmouth vine*
Noms vern. : *Pwa zwèzo, Pwa zòzyo, Ti pwa, Pwa hazyé, Pwa sikriyé, Pois z'oiseaux, Petit pois, Pois hallier, Pois sucrier*

Range / Aire : *Pantropical. Probably all islands.* Sans doute toutes les îles.

A very diffuse herb, or a vine, mainly trailing. Stems slender, angled, finely hairy. Lvs. alternate, trifoliolate ; leaflets ovate-diamond-shaped, L 1-4 cm × B 8-35 mm, woolly to finely hairy on both surfaces. Base cuneate or truncate ; apex acute or obtuse. Petiole slender, L 1-4 cm. Fl. in slender, axillary racemes, often longer than the lvs. Calyx L 2-3 mm. Cor. yellow. Standard L 6 mm ; wings L < 5 mm. Keel L 6 mm. Pod slightly curved, L 10-16 mm × ∅ 3-5 mm, with appressed hairs. Seeds 1-3, brown or black, ∅ 2.5-3 mm.

Ecology and biology : *Waste places, and crops in dry areas (rainfall < 1700 mm), mainly on chromic vertisols, vertic cambisols, calcic phaeozems and rendzinas. Propagated by seeds.*
Main infested crops : *Sugarcane, root crops, vegetables.*

Herbe très diffuse ou liane surtout rampante. Tiges grêles, angulées, finement poilues. F. alternes, à 3 folioles ovées-losangiques, L 1-4 cm × l 8-35 mm, laineuses à finement poilues sur les deux faces. Base en coin ou tronquée ; extrémité aiguë ou obtuse. Pétiole grêle, L 1-4 cm. Fl. en grappes axillaires grêles, souvent plus longues que les F. Calice L 2-3 mm. Cor. jaune. Etendard L 6 mm ; ailes L < 5 mm. Carène L 6 mm. Gousse un peu incurvée, L 10-16 mm × ∅ 3-5 mm, à poils couchés. Graines 1-3, brunes ou noires, ∅ 2,5-3 mm.

Ecologie et biologie : Lieux abandonnés et cultures en zone sèche (pluies < 1700 mm), surtout sur vertisols, sols vertiques, sols bruns calciques et rendzines. Propagation par graines.
Principales cultures infestées : Canne, Racines, Maraîchage.

68

TERAMNUS LABIALIS (L.f.) Spreng.
Fam : FABACEAE

Vern. names : *Rabbit vine, Horse vine, Sweet Pindar*
Noms vern. : *Pwa zwèzo, Pwa zòzyo, Pwa foufou, Pois enivrant, Pois z'oiseaux, Pois colibri*

Range / Aire : *Pantropical. All islands.* Toutes les îles.

A very slender annual vine, trailing and climbing, moderately hairy. Lvs alternate, trifoliolate. Leaflets rather thin, ovate-elliptic to elliptic, L 2-5 cm. Base rounded ; apex obtuse and mucronate. Upper surface with scattered hairs, the lower surface densely covered with appressed hairs. Stipules lanceolate, L ≈ 3 mm. Flowers very small, scattered along slender, axillary racemes, or in axillary clusters. Calyx L 3.5-4 mm, with erect and stiff hairs, and with 5 lobes a little shorter than the tube. Cor. greyish-white or tinged with pink, L 4-7 mm. Pod straight or slightly curved, L 3.5-5 cm × B ≈ 3 mm, with a terminal, upturned beak L ≈ 2 mm.

Ecology and biology : *Rainfall between 1150 and 1800 mm. Natural pastures, thickets, and crops. Propagated by seeds.*
Main infested crops : *Sugarcane, root crops, vegetables.*

Liane annuelle très grêle, un peu poilue, rampante et grimpante. F. alternes, à 3 folioles assez fines, ovées-elliptiques à elliptiques, L 2-5 cm. Base arrondie ; extrémité obtuse et mucronée. Poils épars en dessus, plus denses, et appliqués en dessous. Stipules lancéolées L ≈ 3 mm. Fleurs très petites, distantes sur des grappes grêles axillaires, ou en groupes axillaires. Calice L 3,5-4 mm, à poils dressés et raides, et à 5 lobes un peu plus courts que le tube. Cor. d'un blanc grisâtre, ou teintée de rose, L 5-7 mm. Gousse droite ou un peu incurvée, L 3-5 cm × l ≈ 3 mm, à bec terminal incurvé vers le haut, L ≈ 2 mm.

Ecologie et biologie : Pluviométrie entre 1150 et 1800 mm. Prairies naturelles, halliers, cultures. Propagation par graines.
Principales cultures infestées : Canne, Racines, Maraîchage.

67 ●

68 ●

69

VIGNA HOSEI (Craig.) Baker
Fam : FABACEAE

Vern. names : *None known*
Noms vern. : *Ti pwa jòn, Petit pois jaune*

Range / Aire : *Native to Borneo. Introduced in 1928. Naturalized.* Originaire de Bornéo. Introduit en 1928. Naturalisé.

Climbing and trailing vine (in the latter case rooting at the nodes), with long, slender, hairy, branched stems. Lvs alternate, trifoliolate ; leaflets thin, broadly elliptic, the lateral ones oblique, L 2-5 cm × B 1.5-3 cm, glabrous or hairy. Base obtuse, apex ± acute. Basal nerves 3. Lower surface whitish green. Petiole L 2-6 cm, slender. Racemes axillary and terminal, bearing only 2-3 flowers. Cor. yellow. Standard rounded, notched, ∅ ≈ 8 mm. Keel conical. Wings small. Pods linear, ± cylindrical, L 10-12 mm × ∅ ≈ 4 mm, with 1-4 seeds.
This species illustrates the danger of thoughtless introductions.

Ecology and biology : *Waste places and cultivated soils, in many environments. Propagated by seeds and stem cuttings.*
Main infested crops : *Flower gardens, ornamental hedges, lawns, orchards, and most crops.*

Liane grimpante et rampante (formant des racines aux noeuds dans ce cas), à tiges longues et grêles, poilues, très ramifiées. F. alternes, à 3 folioles fines, largement elliptiques, les latérales dissymétriques, L 2-5 cm × l 1,5-3 cm, glabres ou poilues. Base obtuse, extrémité ± aiguë. Nervures basales 3. Face inférieure d'un vert blanchâtre. Pétiole L 2-6 cm, grêle. Grappes axillaires et terminales, portant 2-3 fleurs seulement. Cor. jaune. Etendard arrondi, échancré, ∅ ≈ 8 mm. Carène conique. Ailes petites. Gousse linéaire, ± cylindrique, L 10-12 mm × ∅ ≈ 4 mm, à 1-4 graines.
Cette espèce illustre le danger des introductions inconsidérées.

Ecologie et biologie : Lieux abondonnés, sols cultivés, dans beaucoup de situations écologiques. Propagation par graines et par fragments de tiges.
Principales cultures infestées : Jardins d'agrément, Haies ornementales, Pelouses, Vergers, et la plupart des cultures.

70

VIGNA LUTEOLA (Jacq.) Benth.
Fam : FABACEAE

Vern. names : *None known*
Noms vern. : *Pwa zonbi, Pwa jòn, Pois zombie, Pois jaune, Pois pigeon*

Range / Aire : *Pantropical. All islands.* Toutes les îles.

Trailing or diffuse vine, seldom clearly climbing, usually glabrous. Lvs. alternate, trifoliolate ; leaflets variable in size and shape, broadly ovate to lanceolate, the lateral ones ± dissymmetrical, L 2-8 cm × B 0.5-5 cm, almost fleshy, bright green. Basal nerves 3. Stipules lanceolate L 3-4 mm. Petioles channelled, L 3-10 cm. Flowers borne on axillary racemes. Peduncles longer than the lvs. Calyx 4-lobed, L 4-5 mm. Cor. yellow. Standard kidney-shaped, L ± 15 mm × B 15-18 mm. Pod straight or slightly curved, almost cylindrical, L 4-7 cm × ∅ 6-7 mm ; seeds black, L ≈ 5 mm.

Ecology and biology : *Deep, wet soils, and in rainy areas. Propagated by seeds.*
Main infested crops : *Sugarcane, rice.*

Liane rampante à diffuse, rarement nettement grimpante, en général glabre. F. alternes, à 3 folioles variables en forme et dimensions, largement ovées à lancéolées, les latérales ± dissymétriques, L 2-8 cm × l 0,5-5 cm, presque charnues, d'un vert vif. Nervures basales 3. Stipules lancéolées L 3-4 mm. Pétiole canaliculé, L 3-10 cm. Fleurs en grappes axillaires. Pédoncules plus longs que les feuilles. Calice à 4 lobes, L 4-5 mm. Cor. jaune. Etendard réniforme, L ± 15 mm × l 15-18 mm. Gousse droite ou un peu incurvée, presque cylindrique, L 4-7 cm × ∅ 6-7 mm ; graines noires L ≈ 5 mm.

Ecologie et biologie : Sols profonds et humides, ou zones pluvieuses. Propagation par graines.
Principales cultures infestées : Canne, Riz.

69 ●

69 ●

70 ● 70 ●

71

HYPTIS ATRORUBENS Poit.
Fam : LAMIACEAE

Vern. names : *Ground mint*

Noms vern. : *Bouton (a) vonvon, Zèb a miyèl, Véwonik, Herbe à miel, Véronique*

Range / Aire : *Tropical America and Africa. Introduced in SE Asia. Probably all islands.* Amérique et Afrique tropicales. Introduit en Asie du SE. Sans doute toutes les îles.

A delicate perennial herb, trailing and ascending, rooting at the nodes. Stems threadlike, slightly hairy, the younger ones often reddish, L → 1 m. Lvs simple, opposite, ovate to elliptical, L 1-5 cm × B 0.6-2.5 cm, with long and thin hairs. Base attenuate. Apex variable, often obtuse. Margin crenate to serrate. Leaf blade somewhat corrugated, often tinged with purple on very acid soils. Petiole L 0.5-1.5 cm. Flowers borne in axillary, opposite and solitary heads, ∅ 8-12 mm ; peduncles L 6-20 mm. Bracts ovate, L ≈ 5 mm. Calyx L 4 mm, cylindrically tubulate, with 5 slender teeth L 2 mm. Cor. white, speckled with small purple dots, 2-lipped, L 7 mm.

Ecology and biology : *Natural pastures and crops, mainly on ferralic cambisols. Rainfall > 1700 mm. Propagated by seeds and stem cuttings.*
Main infested crops : *Root crops, vegetables.*

Herbe pérenne délicate, rampante et ascendante, émettant des racines aux noeuds. Tiges filiformes, un peu poilues, les jeunes souvent rougeâtres, L → 1 m. F. simples, opposées, ovées à elliptiques, L 1-5 cm × 1 0,6-2,5 cm, à poils longs et fins. Base longuement rétrécie. Extrémité variable, souvent obtuse. Bord crénelé à denté en scie. Limbe un peu gaufré, et souvent teinté de pourpre sur les sols très acides. Pétiole L 0,5-1,5 cm. Fleurs en glomérules axillaires solitaires, opposés, ∅ 8-12 mm ; pédoncule L 6-20 mm. Bractées ovées, L ≈ 5 mm. Calice L 4 mm, à tube cylindrique et à 5 dents fines L 2 mm. Cor. blanche, parsemée de petits points pourpres, bilabiée, L 7 mm.

Ecologie et biologie : Prairies naturelles et cultures, surtout sur sol ferrallitique. Pluviométrie > 1700 mm. Propagation par graines et par fragments de tiges racinées.
Principales cultures infestées : Racines, Maraîchage.

72

LEONOTIS NEPETIFOLIA (L.) R. Br.
Fam : LAMIACEAE

Vern. names : *Lion's tail, Lion's ear, Wild hops, Bald bush, Ball head, Birdsuck, Hollow stalk, Honeysuckle, Man piaba, Christmas candlestick*
Noms vern. : *Ponpon souda, Zèb gwo bouton, Gwo tèt, Pompon soldat, Herbe gros bouton, Grosse tête*

Range / Aire : *Pantropical. All islands.* Toutes les îles.

Erect and rigid annual herb, H 0.6-2 m, finely hairy in all parts. Stem 4-angled, pithy, very sparsely branched. Lvs simple, opposite-decussate (occasionnally whorled), broadly ovate, L 5-10 cm × B 2-5 cm, corrugated, whitish-green beneath. Base abruptly attenuate. Apex pointed. Margin crenate. Petiole L 2-5(-10) cm. Flowers borne in ball-like heads, ∅ 3-5 cm, scattered along the upper part of the stem, each head subtended by 2 leafy bracts. Calyx cylindrico-conical, becoming larger when ripe, L 10-20 mm, 10-ribbed, with 5 rigid and thorn-like teeth, one of which is much longer than the others. Cor. orange, L 20-25 mm, 2-lipped. Achenes 4 per flower, triangular, L ≈ 3 mm.

Ecology and biology : *Waste places and cultivated soils, particularly in rather dry areas. Propagated by achenes.*
Main infested crops : *All crops, except established bananas.*

Herbe annuelle droite et rigide, H 0,6-2 m, finement poilue en toutes parties. Tige à 4 angles, contenant de la moëlle, très peu ramifiée. F. simples, opposées-décussées (parfois verticillées), largement ovées, L 5-10 cm × l 2-5 cm, gaufrées, d'un vert blanchâtre en dessous. Base brusquement rétrécie. Extrémité pointue. Bord crénelé. Pétiole L 2-5(-10) cm. Fleurs en gros glomérules ronds, ∅ 3-5 cm, espacés sur le haut de la tige, chacun soutenu par 2 bractées foliacées. Calice cylindroconique, s'allongeant au fruit, L 10-20 mm, à 10 côtes, et à 5 dents rigides et piquantes, dont l'une beaucoup plus longue que les autres. Cor. orangée, L 20-25 mm, à 2 lèvres. Akènes 4 par fleur, triangulaires, L ≈ 3 mm.

Ecologie et biologie : Lieux abandonnés et sols cultivés, surtout en zone assez sèche. Propagation par les akènes.
Principales cultures infestées : Toutes cultures, sauf Bananeraies adultes.

71 ● 71 ●

72 ● 72 ●

73

SPIGELIA ANTHELMIA L.
Fam : LOGANIACEAE

Vern. names : *Water weed, Loggerhead weed, Bomvier, Pink weed, Ratter tone, Worm grass*
Noms vern. : *Zèb pwazon, Brenvilyé, Zèb brenvilyé, Brinvillière, Brinvilliers, La Brinvilliers, Poudre à vers, Herbe poison*

Range / Aire : *Tropical America. All islands.* Amérique tropicale. Toutes les îles.

An annual, erect herb, H 10-30(-70) cm, branched or simple, with no lower leaves, but often with 2 long, opposite, arching-ascending branches, at the basal node. Lvs simple, opposite, entire, sessile or nearly so, ovate-lanceolate to elliptical-lanceolate, acute at apex, L 3-5(-10) cm × B 1-2(-4) cm, the upper ones often larger and crowded, seeming whorled. Stipules truncate, united between the petioles, forming a wide, but very short sheath. Spikes terminal and axillary, L 5-15 cm, ± arching, bearing the flowers on their upper side. Calyx L ± 3 mm, with 5 narrow lobes. Cor. flaringly tubular, pink or lilac, with purple stripes, L ± 10 mm, with 5 ovate-triangular lobes, L 2 mm. Fruit a deeply lobed capsule, L ± 4 mm × ∅ ≈ 6 mm.

Ecology and biology : *Waste places and cultivated soils in many environments. Propagated by seeds.*
Main infested crops : *Root crops, vegetables.*

Herbe annuelle droite, H 10-30 (-70) cm, branchue ou simple, nue dans le bas, mais souvent avec 2 longues branches opposées, arquées-ascendantes, au noeud inférieur. F. simples, opposées, entières, sessiles ou presque, ovées-lancéolées à elliptiques-lancéolées, aiguës à l'extrémité, L 3-5(-10) cm × l 1-2(-4) cm, les supérieures souvent plus grandes et plus rapprochées, paraissant verticillées. Stipules tronquées, soudées entre les pétioles, formant une gaine large mais très courte. Epis terminaux et axillaires, L 5-15 cm, ± arqués, portant les fleurs sur leur côté supérieur. Calice L ± 3 mm, à 5 lobes étroits. Cor. en tube évasé, rose ou lilas, à stries pourpres, L ± 10 mm, à 5 lobes ovés-triangulaires, L 2 mm. Fruit : capsule profondément lobée, L ± 4 mm × ∅ ≈ 6 mm.

Ecologie et biologie : Lieux abandonnés et sols cultivés, dans beaucoup de situations écologiques. Propagation par graines.
Principales cultures infestées : Racines, Maraîchage.

74

ABUTILON INDICUM Sweet
Fam : MALVACEAE

Vern. names : *None known*

Noms vern. : *Guimauve, Mauve*

Range / Aire : *Pantropical. All islands.* Toutes les îles.

An annual herb (or subshrub), erect, H 1-2 m. Younger parts covered with a whitish-grey down. Lvs simple, alternate, rounded-ovate to ovate, L 3-10 cm × B 2-8 cm, with 5-7 basal nerves. Base cordate. Apex variable. Leaf blade rather flaccid, almost velvety, ± conspicuously 3-lobed. Margin irregularly crenate or toothed. Petiole L 1.5-8 cm. Stipules L 3-5 mm. Flowers axillary, solitary, or sometimes in terminal groups (corymbs). Peduncles longer than the petioles. Calyx with 5 segments L ≈ 10 mm. Petals 5, yellow, L 1.5 cm. Stamens many, united into a tube as in the Hibiscus flower. Fruits : 12-20 per flower, hairy, papery, L 12-15 mm, very flattened, arranged like the spokes of a wheel, with a short point at the top. Seeds 2 per fruit.

Ecology and biology : *Waste places and crops, in dry conditions. Propagated by seeds.*
Main infested crops : *Sugarcane, vegetables.*

Herbe annuelle (ou arbrisseau), érigée, H 1-2 m. Parties jeunes couvertes d'un duvet gris-blanchâtre. F. simples, alternes, arrondies-ovées à ovées, L 3-10 cm × l 2-8 cm, à 5-7 nervures basales. Base cordée. Extrémité variable. Limbe assez flasque, presque velouté, ± nettement trilobé. Bord irrégulièrement crénelé ou denté. Pétiole L 1,5-8 cm. Stipules L 3-5 mm. Fleurs axillaires, solitaires, ou parfois en groupes (corymbes) terminaux. Pédoncules plus longs que les pétioles. Calice de 5 segments L ≈ 10 mm. Pétales 5, jaunes, L 1,5 cm. Etamines nombreuses, unies en tube (comme chez l'Hibiscus). Fruits : 12-20 par fleur, poilus, à consistance de papier, L 12-15 mm, très aplatis, arrangés comme les rayons d'une roue, à pointe courte au sommet. Graines 2 par fruit.

Ecologie et biologie : Lieux abandonnés et champs cultivés, en zone sèche. Propagation par graines.
Principales cultures infestées : Canne, Maraîchage.

73 ●

73 ●

73 ●

74 ●

74 ●

75

MALACHRA FASCIATA Jacq.

Fam : MALVACEAE

Vern. names : *Wild hemp, Wild okra*

Noms vern. : *Gonbo bata, Gombo bâtard, Grande guimauve, Gran gimov*

Range / Aire : *Tropical America. Most islands.* Amérique tropicale. La plupart des îles.

Annual herb H 0.5-2 m, with long, yellowish, stiff hairs. Lvs simple, alternate, rounded or ovate in outline, dentate, hispid on both surfaces, often coloured yellow or pink, presumably due to infection with a mycoplasm or virus. Lower lvs L 10-15 cm, with 5 ± conspicuous lobes, the upper ones much smaller, undivided. Base obtuse. Petiole L 2-4 cm. Stipules linear, L 15-30 mm. Flowers in axillary heads, sessile or nearly so. Outer bracts triangular-ovate, heart-shaped, ± fused at the base, with conspicuous nerves, L 20-25 mm, the inner ones smaller. Calyx L 4-8 mm, with 5 whitish, lanceolate lobes, with green midrib and margins, ending in a bristle. Petals 5, white, L ≈ 10 mm. Stamens many, united into a tube (as in Hibiscus). Carpids dry, 5 per flower, brown, glabrous, L ≈ 3 mm. Two allied spp., with yellow flowers, are M. alceifolia *Jacq., rough, and* M. capitata *L., velvety.*

Ecology and biology : *Moist pastures and fields. Propagated by the fruits.*

Main infested crops : *All crops, except established bananas.*

Herbe annuelle H 0,5-2 m, à longs poils rigides, jaunâtres. F. simples, alternes, de contour arrondi à ové, dentées, hispides sur les deux faces, souvent teintées de jaune ou de rose, sans doute en raison de l'infection par un mycoplasme ou un virus. F. basses L 10-15 cm, à 5 lobes ± marqués, les supérieures beaucoup plus petites, non lobées. Base obtuse. Pétiole L 2-4 cm. Stipules linéaires, L 15-30 mm. Fleurs en capitules axillaires, sessiles ou presque. Bractées externes triangulaires-ovées, cordiformes, aiguës, à nervures très marquées, L 20-25 mm, les internes plus petites. Calice L 4-8 mm, à 5 lobes lancéolés blanchâtres, à nervure centrale et bords verts, terminés par une arête. Pétales 5, blancs, L ≈10 mm. Etamines nombreuses, unies en tube (comme chez l'Hibiscus) Fruits secs (méricarpes), 5 par fleur, bruns, glabres, L ≈ 3 mm. Deux autres espèces ont des fleurs jaunes : *M. alceifolia* Jacq., rude, et *M. capitata* L., veloutée.

Ecologie et biologie : Prairies et champs humides. Propagation par les fruits.

Principales cultures infestées : Toutes cultures, sauf Bananeraies adultes.

76

MALVASTRUM COROMANDELIANUM (L.) Garcke

Fam : MALVACEAE

Vern. names : *Broomweed, Crumpled-leaved broomweed*

Noms vern. : *Pendou, Balyé dézè, Pain doux, Balai deux heures*

Range / Aire : *Pantropical. Probably all islands.* Sans doute toutes les îles.

Herb or subshrub H 30-90 cm, with appressed hairs. Lvs simple, alternate, distichous, variable, ovate, ovate-oblong or oblong-lanceolate, acute or obtuse at the apex, L 3-8 cm. Margin with conspicuous teeth. Petiole L 1-3 cm. Stipules ± linear, L 5-8 mm. Flowers solitary or in small clusters, axillary and terminal. Peduncles short. Calyx hairy, L 5-8 mm, 5-lobed, subtended by 3 linear to lanceolate bracteoles L 5-8 mm. Petals 5, pale yellow, L 7-9 mm. Stamens many, united into a tube (as in Hibiscus). Fruits (carpides) dry, several per flower, flattened, hairy, with a long prickle at the top, and 2 smaller ones on the back. Not to be confused with Sida acuta *and* S. rhombifolia.

Ecology and biology : *Waste places and cultivated soils in many environments. Propagated by the dry fruits.*

Main infested crops : *All crops, except established bananas.*

Herbe ou sous-arbrisseau, H 30-90 cm, à poils appliqués. F. simples, alternes, distiques, variables, ovées, ovées-oblongues ou oblongues-lancéolées, aiguës ou obtuses à l'extrémité, L 3-8 cm. Bord à dents très marquées. Pétiole L 1-3 cm. Stipules ± linéaires, L 5-8 mm. Fleurs solitaires ou en petits groupes, axillaires et terminales. Pédoncules courts. Calice velu, L 5-8 mm, à 5 lobes, soutenu par 3 bractéoles linéaires à lancéolées, L 5-8 mm. Pétales 5, jaune pâle, L 7-9 mm. Etamines nombreuses, unies en tube (comme chez l'Hibiscus). Fruits (méricarpes) secs plusieurs par fleur, aplatis, poilus, portant une grande épine au sommet, et 2 plus courtes sur le dos. Ne pas confondre avec *Sida-acuta* ni avec *S. rhombifolia.*

Ecologie et biologie : Lieux abandonnés et sols cultivés, dans beaucoup de situations écologiques. Propagation par les fruits secs.

Principales cultures infestées : Toutes cultures, sauf Bananeraies adultes.

75 ●

75 ●

76 ●

77

SIDA ACUTA Burm. f.
Fam : MALVACEAE
Syn. : *Sida carpinifolia* L. f.

Vern. names : *Broomweed, Wire weed*
Noms vern. : *Balyé onzè, Balyé midi, Balyé savann, Balai onze heures, Balai midi, Balai savane*

Range / Aire : *Pantropical. All islands.* Toutes les îles.

Subshrub H 30-90 cm, erect or spreading. Branches often oblique or horizontal. Lvs simple, alternate, distichous, ovate to lanceolate, L 2-10 cm. Base obtuse or almost cordate. Apex acute to acuminate. Margin irregularly but finely toothed. Petiole short, L 3-7 mm. Stipules linear or lanceolate, longer than the petioles. Flowers solitary or in small groups, axillary, with short peduncles (1-15 mm). Calyx with 5 triangular lobes. Petals yellow or whitish, L 6-12 mm. Stamens many, united into a tube (as in Hibiscus). Fruits (carpids) dry, 7-12 per flower, with 2 beaks at apex. Not to be confused with S. rhombifolia *and* Malvastrum coromandelianum.

Ecology and biology : *Waste places and cultivated soils in many environments. Propagated by the dry fruits.*
Main infested crops : *All crops, except established bananas.*

Sous-arbrisseau, érigé ou étalé, poilu ou glabre, H 30-90 cm, à branches souvent obliques ou horizontales. Feuilles simples, alternes, distiques, ovées ou lancéolées, L 2-10 cm. Base obtuse ou presque cordée. Extrémité aiguë ou acuminée. Bord irrégulièrement mais finement denté. Pétiole court, L 3-7 mm. Stipules linéaires ou lancéolées, plus longues que les pétioles. Fleurs solitaires ou en petits groupes axillaires, à pédoncules courts (1-15 mm). Calice à 5 lobes triangulaires. Pétales jaunes ou blanchâtres, L 6-12 mm. Etamines nombreuses, unies en tube (comme chez l'Hibiscus). Fruits secs (méricarpes) 7-12 par fleur, à 2 becs à l'extrémité. Ne pas confondre avec *S. rhombifolia* ni avec *Malvastrum coromandelianum.*

Ecologie et biologie : Lieux abandonnés et sols cultivés, dans beaucoup de situations écologiques. Propagation par les fruits secs.
Principales cultures infestées : Toutes cultures, sauf Bananeraies adultes.

78

SIDA RHOMBIFOLIA L.
Fam : MALVACEAE

Vern. names : *Broomweed*
Noms vern. : *Balyé onzè, Balyé dizè, Balai onze heures, Balai dix heures*

Range / Aire : *Pantropical. All islands.* Toutes les îles.

Much like S. acuta, *with the following differences : Branches mostly erect or ascending. Lvs mostly clearly diamond-shaped, tapering or cuneate at the base. Peduncles long (20-50 mm). Cor. orange-yellow to flesh-coloured. Not to be confused with* S. acuta *and* Malvastrum coromandelianum.

Ecology and biology : *Waste places and cultivated soils mainly in rather humid conditions. Rainfall > 1600 mm. Propagated by the dry fruits.*
Main infested crops : *All crops.*

Ressemble beaucoup à *S. acuta,* avec les différences suivantes : branches en général érigées ou ascendantes. F. le plus souvent assez nettement losangiques, atténuées ou en coin à la base. Pédoncules longs (20-50 mm). Cor. jaune-orangé à chair. Ne pas confondre avec *S. acuta* ni avec *Malvastrum coromandelianum.*

Ecologie et biologie : Lieux abandonnés et sols cultivés, surtout en conditions assez humides. Pluies > 1600 mm. Propagation par les fruits secs.
Principales cultures infestées : Toutes cultures.

77 ●

77 ●

78 ●

79

URENA LOBATA L.
Fam : MALVACEAE

Vern. names : *Ballard bush, Bur mallow, Indian mallow, Aramina, Congo jute*
Noms vern. : *Kouzen maho, Kouzen wouj, Gwo kouzen, Gran kouzen, Cousin mahaut, Cousin rouge, Gros cousin, Grand cousin*

Range / Aire : *Pantropical. All islands.* Toutes les îles.

Shrub, H 0.5-2,5 m, covered by a down of small star-shaped hairs (specially on the younger parts). Lvs simple, alternate, the lower ones rounded in outline, ∅ 5-12 cm, with 3-5 acute lobes, cordate at the base ; the upper ones ovate or oblong. Base rounded or tapering. Basal nerves 5-7. Leaf blade with a woolly, greyish felting, specially beneath. Petiole L 3-15 cm. Flowers axillary, on short peduncles. Calyx L 5-9 mm, divided almost to the base into 5 segments, subtended by 5 bracteoles. Cor. of 5 pink petals, L 12-17 mm. Stamens many, united into a tube (as in Hibiscus). Fruits dry (carpides), 5 per flower, L ≈ 5 mm, woolly and with many anchor-shaped prickles. A closely related species, U. sinuata *L. differs in leaf shape.*

Ecology and biology : *Waste places and cultivated soils, mainly on ferralic cambisols. Rainfall > 1600 mm. Propagated by the dry fruits.*
Main infested crops : *All crops.*

Arbrisseau H 0,5-2,5 m, duveteux par de petits poils étoilés (surtout sur les parties jeunes). F. simples, alternes, les inférieures de arrondies, ∅ 5-12 cm, à 3-5 lobes aigus, cordées à la base ; les supérieures ovées ou oblongues. Base arrondie ou atténuée. Nervures basales 5-7. Limbe à feutrage laineux grisâtre, surtout en dessous. Pétiole L 3-15 cm. Fleurs axillaires, à pédoncules courts. Calice L 5-9 mm, divisé en 5 segments presque jusqu'à la base, soutenu par 5 bractéoles. Cor. de 5 pétales roses, L 12-17 mm. Etamines nombreuses, unies en tube (comme chez l'Hibiscus). Fruits secs (méricarpes), 5 par fleur, L ≈ 5 mm, laineux et à nombreuses épines courtes en ancre marine. Une espèce très voisine, *U. sinuata* L. diffère par la forme des feuilles.

Ecologie et biologie : Lieux abandonnés et sols cultivés, surtout sur sols ferrallitiques. Pluies > 1600 mm. Propagation par les fruits secs.
Principales cultures infestées : Toutes cultures.

80

CLIDEMIA HIRTA (L.) D. Don
Fam : MELASTOMATACEAE

Vern. names : *Koster's curse, Soap bush*

Noms vern. : *Bonbon blé, Zèb kòtlèt, Zo manikou, Zèb (a) plon, Bonbon bleu, Herbe côtelette, Os de manicou, Herbe à plomb*

Range / Aire : *Tropical America. Probably all islands, except the drier ones.* Amérique tropicale. Sans doute toutes les îles, sauf les plus sèches.

A shrub H 0.3-1.5 m, spiked with russet or greyish, rather stiff hairs. Lvs simple, opposite, ovate or ovate-oblong, L 5-18 cm × B 4-10 cm, rather flaccid, rounded or almost cordate at base, acute or acuminate at apex. Margin toothed and ciliate. Basal nerves 7, united by many transverse nerves. Petiole bearded, L 0.5-2.5(-5) cm. Flowers in axillary groups (cymes), L → 4 cm. Pedicels L → 6 mm. Calyx tubular, L 4-5 mm, with 5 not very distinct lobes, bearing threadlike appendages L 2-4 mm. Petals 5, white, oblong, obtuse, L ≈ 10 mm × B ≈ 5 mm. Stamens 10, white, L 7-8 mm, with falcate anthers. Fruit a small, dark blue berry, bearded, L 7-9 mm, containing many very small seeds.

Ecology and biology : *Wood edges, and crops in rather shady conditions, mainly on ferralic cambisols. Rainfall > 1700 mm. Propagated by seeds.*
Main infested crops : *Bananas, and other crops at medium to high elevations.*

Arbrisseau H 0,3-1,5 m, droit, hérissé de poils roux ou grisâtres assez rigides. F. simples, opposées, ovées ou ovées-oblongues, L 5-18 cm × l 4-10 cm, assez flasques, arrondies à presque cordées à la base, aiguës ou acuminées à l'extrémité. Bord denté et cilié. Nervures basales 7, unies par de nombreuses nervures transversales. Pétiole barbu, L 0,5-2,5(-5) cm. Fleurs en groupes (cymes) axillaires, L → 4 cm. Pédicelles L → 6 mm. Calice en tube de 4-5 mm, à 5 lobes peu marqués, pourvus d'appendices filiformes L 2-4 mm. Pétale 5, blancs, oblongs, obtus, L ≈ 10 mm × l ≈ 5 mm. Etamines 10, blanches, L 7-8 mm, à anthères en faucille. Fruit : petite baie ovoïde, bleu foncé, barbue, L 7-9 mm, contenant beaucoup de très petites graines.

Ecologie et biologie : Orée des bois, et champs en situation assez ombragée, surtout sur sols ferrallitiques. Pluies > 1700 mm. Propagation par graines.
Principales cultures infestées : Bananeraies, et autres cultures en moyenne ou haute altitude.

79 ● 79 ●

80 ● 80 ●

81

DICHROSTACHYS CINEREA
(L.) Wight & Arn.
Fam : MIMOSACEAE

Vern. names : *None known*

Noms vern. : *Sen Domeng, Akasya Sen Domeng, Saint Domingue, Acacia Saint Domingue*

Range / Aire : *Old world (Africa, India), Introduced into some of the islands.* Ancien monde (Afrique, Inde). Introduit dans certaines îles.

A shrub, H 1-2 m, potentially a small tree. Branches bearing short twigs ending in spines. Lvs alternate, bipinnate without odd pinnae and leaflets, L 3-10 cm, with 5-10 pairs of pinnae. Leaflets linear-oblong, L 3-6 mm × B 1-2 mm, slightly hairy, 10-25 pairs on a pinna. Common axis with a linear gland L 2-4 mm at each pair of pinnae. Flowers very small, in dense, axillary, ± drooping, solitary or paired spikes L 3-8 cm. Flowers of the upper part of a spike perfect, yellow, those of the broader base neutral, pink. Pods crowded, flattened, wavy and twisted, very dark, L 4-7 cm × l 7-14 mm.

Ecology and biology : *Waste places and cultivated soils in many environments. Prefers chromic vertisols. Propagated by seeds.*
Main infested crops : *Sugarcane.*

Arbuste H 1-2 m, pouvant devenir un petit arbre. Branches portant des rameaux courts, terminés en épine. F. alternes, pari-bipennées, L 3-10 cm, à 5-10 paires de pennes. Folioles linéaires-oblongues, L 3-6 mm × l 1-2 mm, un peu poilues, 10-25 paires par penne. Axe commun portant à chaque paire de pennes une glande linéaire L 2-4 mm. Fleurs très petites, réunies en épis axillaires denses, solitaires ou par 2, pédonculés, ± pendants, L 3-8 cm. Fleurs de la partie supérieure de l'épi parfaites, jaunes, celles de la base (plus large) neutres, roses. Gousses serrées, aplaties, ondulées et tordues, très foncé, L 4-7 cm × l 7-14 mm.

Ecologie et biologie : Lieux abandonnés et sols cultivés, dans beaucoup de situations écologiques. Préfère les vertisols. Propagation par graines.
Principales cultures infestées : Canne.

82

LEUCAENA LEUCOCEPHALA
(Lam.) de Wit
Fam : MIMOSACEAE
Syn. : *Leucaena glauca* Benth.

Vern. names : *Leucaena, Wild mimosa, River tamarind, Wild tamarind, Zingzing*
Noms vern. : *Monval, Tamaren bata, Makata, Makata bous, Tamarin bâtard, Makata bourse, Leucaena*

Range / Aire : *Tropical America. Now pantropical. All islands.* Amérique tropicale. Devenu pantropical. Toutes les îles.

A shrub H 0.8-3 m, potentially a small tree. Young twigs finely hairy, thornless. Lvs alternate, bipinnate without odd pinnae and leaflets, L 10-20 cm, with 4-8 pairs of pinnae. Leaflets 10-20 pairs on a pinna, non-symmetrical, acute at apex, pale beneath, L 8-15 mm × B 2-3.5 mm, glabrous, except on the margin. Flowers small, in white glomerules ∅ 15-30 mm, these axillary (1-3 per axil) or in terminal racemes. Peduncles rather stout, L 2-4 cm. Pods linear, straight, flat, L 10-18 cm × B 15-18 mm, finely hairy before ripening. Seeds many, oblong, L 6-9 mm.
Wild and improved forms of this species are used as protein-rich forage. Most of them contain mimosin, and if too much is consumed by ruminants, the hair may fall out.

Ecology and biology : *Waste places and cultivated soils in rather dry conditions. Rainfall between 1100 and 1700 mm. Propagated by seeds.*
Main infested crops : *Sugarcane, root crops.*

Arbuste H 0,8-3 m, pouvant devenir un petit arbre. Jeunes rameaux finement poilus, sans épines. F. alternes, pari-bipennées, L 10-20 cm, à 4-8 paires de pennes. Folioles 10-20 paires par penne, dissymétriques, aiguës à l'extrémité, pâles en dessous, L 8-15 mm × l 2-3,5 mm, glabres, sauf sur le bord. Fleurs petites, en glomérules blancs, ∅ 15-30 mm, axillaires par 1-3, ou en grappes terminales ; pédoncules assez gros, L 2-4 cm. Gousses linéaires, plates, droites, L 10-18 cm × l 15-18 mm, finement poilues avant maturité. Graines nombreuses, oblongues, L 6-9 mm.
Les formes sauvages ou améliorées de cette espèce sont utilisées comme fourrage riche en protides. La plupart contiennent de la mimosine, et leur consommation excessive par les ruminants fait tomber leurs poils.

Ecologie et biologie : Lieux abandonnés et sols cultivés, en situation assez sèche. Pluies entre 1100 et 1700 mm. Propagation par graines.
Principales cultures infestées : Canne, Racines.

81 ●

82 ●

82 ●

82 ●

83

MIMOSA PIGRA L.
Fam : MIMOSACEAE

Vern. names : *Thorny sensitive plant*

Noms vern. : *Banglen, Amourèt rivyè, Amourèt vyolè, Banglin, Amourette rivière, Amourette violet*

Range / Aire : *Tropical America. Now pantropical. All islands.* Amérique tropicale. Devenu pantropical. Toutes les îles.

A shrub H 1-2(→ 3) m, upright or slightly leaning ; branches many, distichous, very spiny. Lvs alternate, distichous, bipinnate without odd pinnae and leaflets, L 15-35 cm × B 8-16 cm, with 4-15 pairs of pinnae L 2-8 cm. Leaflets many, sensitive, linear, oblique, fringed on the margin, L 5-7 mm × B ≈ 1 mm. Flowers very small, in pink, mauve or seldom whitish glomerules ∅ ≈ 10 mm, borne in 1-3's in the upper axils, or in terminal racemes. Peduncles L 2-5 cm. Pods crowded, flat and straight, L 3-9 cm × B 7-8-13 mm, breaking into 10-20 single-seeded pieces. Seeds linear-oblong, L ≈ 6 mm × B ≈ 2 mm.

Ecology and biology : *Flat, moist and deep soils. Rainfall > 1700 mm. Propagated by seeds.*
Main infested crops : *Sugarcane, root crops.*

Arbrisseau H 1-2 (→ 3) m, droit ou un peu penché, à branches nombreuses, distiques, très épineuses. F. alternes, distiques, pari-bipennées, L 15-35 cm × l 8-16 cm, à 4-15 paires de pennes L 2-8 cm. Folioles nombreuses, sensitives, linéaires, obliques, frangées sur le bord, L 5-7 mm × l ≈ 1 mm. Fleurs très petites, en glomérules roses, mauves, ou rarement blanchâtres, ∅ ≈ 10 mm, par 1-3 aux aisselles supérieures, et en grappes terminales. Pédoncules L 2-5 cm. Gousses groupées, plates et droites, L 3-9 cm × l 8-13 mm, composées de 10-20 articles. Graines linéaires-oblongues, L ≈ 6 mm × l ≈ 2 mm.

Ecologie et biologie : Sols plats, profonds et humides. Pluies > 1700 mm. Propagation par graines.
Principales cultures infestées : Canne, Racines.

84

MIMOSA PUDICA L.
Fam : MIMOSACEAE

Vern. names : *Shame weed, Shame bush, Sensitive plant, Mézé Mawi, Piss-a-bed, Shamer, Blushing Jenny, Dead-and-wake*
Noms vern. : *Mari hont, Hontèz, Hontèz fimèl, Zèb manzèl, Sensitive, Marie honte, Honteuse, Honteuse femelle, Herbe demoiselle*

Range / Aire : *Tropical America. Now pantropical. All islands.* Amérique tropicale. Devenu pantropical. Toutes les îles.

Diffuse or almost creeping subshrub H 10-40 cm, with spiny branches. Lvs alternate, made up of 4 almost digitate pinnae L 4-9 cm × B 0.8-1.5 cm. Leaflets 15-25 pairs per pinna, L 6-10 mm × B 1.5-2 mm, extremely sensitive. Flowers very small, in pink or mauve, axillary, globose heads ∅ 10-15 mm, these borne in 1-3's. Peduncles L 1-2.5 cm. Pods linear-oblong, much crowded, L 10-15 mm × B 3-4 mm, breaking into 3-4 single-seeded pieces, and armed with long stiff hairs on the margin.

Ecology and biology : *Flat, moist and deep soils. Rainfall > 1100 mm. Propagated by seeds.*
Main infested crops : *All crops, and pastures.*

Sous-arbrisseau diffus ou presque rampant, H 10-40 cm, à branches épineuses. F. alternes, composées de 4 pennes presque digitées, L 4-9 cm × l 0,8-1,5 cm. Folioles 15-25 paires par penne, L 6-10 mm × l 1,5-2 mm, extrêmement sensitives. Fleurs très petites, en glomérules roses ou mauves, axillaires, par 1-3, ∅ 10-15 mm. Pédoncules L 1-2,5 cm. Gousses linéaires-oblongues, très rapprochées, L 10-15 mm × l 3-4 mm, composées de 3-4 articles, et à bord armé de longs poils raides.

Ecologie et biologie : Sols plats, profonds et humides. Pluies > 1100 mm. Propagation par graines.
Principales cultures infestées : Toutes cultures, savanes et pâturages.

83 ●

85

BOERHAVIA COCCINEA Mill.
BOERHAVIA DIFFUSA L.
Fam : NYCTAGINACEAE

Vern. names : *Hog weed, Hog feed, Hog food, Pig feed, Pig food, Sow meat*
Noms vern. : *Patagon, Valéryan, Valériane*

Range / Aire : *Tropical America. Now almost pantropical. All islands.* Amérique tropicale. Devenus presque pantropicaux. Toutes les îles.

Two closely related species, often confused. Herbs with creeping or ascending (B. coccinea), *or more clearly erect* (B. diffusa) *branches, H → 80 cm. Lvs simple, opposite, ± glabrous, those of a single pair ± unequal, ovate to elliptical, L 2-6 cm × B 1.5-5 cm, ± fleshy and flaccid, lighter beneath. Base ± truncate or obtuse ; apex rounded. Petiole L → 4 cm. Flowers on ± branched panicles, small, red or purple, sessile, borne in 1-3's on glabrous* (B. diffusa) *or in 4-20's on ± hairy* (B. coccinea) *branches ; perianth simple, constricted above the basal part ; terminal part bell-shaped, L 1-1.5 mm. Fruit dry, enclosed in the base of the perianth with 5 ribs bearing ± sticky hairs.*

Ecology and biology : *Waste places and cultivated soils, in ± dry conditions. Propagated by the fruits.*
Main infested crops : *Vegetables.*

Deux espèces très proches l'une de l'autre, souvent confondues. Herbe à branches rampantes ou ascendantes *(B. coccinea)* ou plus nettement érigées *(B. diffusa)*, H → 80 cm. F. simples, opposées, ± glabres, celles d'une paire ± inégales, ovées à elliptiques, L 2-6 cm × l 1,5-5 cm, ± charnues et flasques, plus pâles en dessous. Base ± tronquée ou obtuse ; extrémité arrondie. Pétiole L → 4 cm. Fleurs en panicules ± ramifiées, petites, rouges ou violacées, sessiles, par 1-3 sur des ramifications glabres *(B. diffusa)*, ou par 4-20 sur des branches ± poilues *(B. coccinea)*. Périanthe simple, étranglé au-dessus de la partie basale. Partie terminale en cloche, L 1-1,5 mm. Fruit sec, inclus dans la base du périanthe, à 5 côtes à poils ± collants.

Ecologie et biologie : Friches, sols cultivés, en situation sèche. Propagation par les fruits.
Principales cultures infestées : Maraîchage.

86

BOERHAVIA ERECTA L.

Fam : NYCTAGINACEAE

Vern. names : *Hogweed, Hog feed, Hog food, Pig feed, Pig food, Sow meat*
Noms vern. : *Patagon, Valéryan, Valériane*

Range / Aire : *Tropical America. All islands.* Amérique tropicale. Toutes les îles.

A species closely allied to the two preceding ones, and distinguished mainly by its glabrous fruits. Erect or ascending herb, H 20-80 cm. Lvs simple, opposite, ovate to triangular or diamond-shaped, the upper ones elliptic-lanceolate, L 2-8 cm × B 1.5-6 cm. Base variable. Apex ± pointed. Lower surface whitish, punctate with small brown dots. Petiole L 1-5 cm. Flowers small, mauve or whitish, borne in 2-7's, not really sessile, on broad, diffuse panicles. Fruit (see B. coccinea *and* B. diffusa*) with 5 broad and glabrous ribs.*

Ecology and biology : *Waste places and cultivated soils, mainly in rather dry conditions. Rainfall < 1900 mm. Propagated by the fruits.*
Main infested crops : *Vegetables.*

Espèce voisine des deux précédentes, se distinguant surtout par ses fruits glabres. Herbe érigée ou ascendante, H 20-80 cm. F. simples, opposées, ovées à triangulaires ou losangiques, les supérieures elliptiques-lancéolées, L 2-8 cm × l 1,5-6 cm. Base variable. Extrémité ± pointue. Face inférieure blanchâtre, à petits points bruns. Pétiole L 1-5 cm. Fleurs petites, mauves ou blanchâtres, par 2-7, non réellement sessiles, sur de larges panicules diffuses. Fruit (voir *B. coccinea* et *B. diffusa*) à 5 côtes larges et glabres.

Ecologie et biologie : Lieux abandonnés et sols cultivés, surtout en situation assez sèche. Pluies < 1900 mm. Propagation par les fruits.
Principales cultures infestées : Maraîchage.

85

85

86

87

LUDWIGIA OCTOVALVIS (Jacq.) Raven
Fam : OENOTHERACEAE (ONAGRACEAE)
Syn. : *Jussiaea suffruticosa* L., *J. angustifolia* Lam.

Vern. names : *Manyseed, Jamaica loosestrife, Wild clove*
Noms vern. : *Jiwof ma, Jéwonflé, Zèb a pik, Girofle mare, Géronflé, Herbe à pique*

Range / Aire : *Pantropical. All islands.* Toutes les îles.

An erect perennial herb, ± woody at the base, H 0.6-2 m, mostly ± hairy. Lvs simple, alternate, lanceolate, with rather conspicuous nerves, L 3-9 cm × B 1-2.5 cm ; base attenuate. Petiole L 1-3 mm. Flowers solitary, axillary, shortly stalked. Calyx with 4 ovate lobes L 8-10 mm × B 3-6 mm. Petals 4, yellow, obovate, L 11-14 mm. Ovary inferior. Fruit an erect capsule, crowned by the persistent lobes of the calyx, attenuate at the base, almost cylindrical, with 8 ± conspicuous ribs, L 3-5 cm × ∅ 3-4 mm, containing many small seeds.

Ecology and biology : *Deep, flat, moist or wet soils. Rainfall > 1100 mm. Propagated by seeds.*
Main infested crops : *Root crops, vegetables.*

Herbe pérenne érigée, ± ligneuse à la base, H 0,6-2 m, en général ± poilue. F. simples, alternes, entières, lancéolées, à nervures assez marquées, L 3-9 cm × l 1-2,5 cm, progressivement rétrécies à la base. Pétiole L 1-3 mm. Fleurs solitaires, axillaires, à pédoncule court. Calice à 4 lobes ovés, L 8-10 mm × l 3-6 mm. Pétales 4, jaunes, obovés, L 11-14 mm. Ovaire infère. Fruit une capsule érigée, couronnée par les lobes persistants du calice, rétrécie à la base, presque cylindrique, à 8 côtes ± marquées, L 3-5 cm × ∅ 3-4 mm, contenant de nombreuses petites graines.

Ecologie et biologie : Sols plats, profonds et humides. Pluies > 1100 mm. Propagation par graines.
Principales cultures infestées : Racines, Maraîchage.

88

OXALIS BARRELIERI L.
Fam : OXALIDACEAE

Vern. names : *None known*

Noms vern. : *Trèf, Lozèy savann, Lozèy mawon, Ozèy savann, Ozèy mawon, Trèfle, Oseille savane, Oseille marron*

Range / Aire : *South America. Caribbean. Probably all islands.* Amérique du Sud. Antilles. Sans doute toutes les îles.

An annual, erect herb, H 25-60 cm. Stem ± branched. Lvs alternate, the upper ones almost opposite, 3-foliolate. Leaflets glabrous, ovate or ovate-oblong, L 1.5-4.5 cm, the terminal one the largest. Petioles L 1-5 cm. Flowers in axillary groups (cymes), borne on a long peduncle. Calyx with 5 lanceolate sepals L 3-4 mm. Cor. ∅ 6-8 mm, with 5 obovate petals L 6-8 mm, pale pink, yellow at the base. Stamens 10. Fruit : a capsule, ovate-oblong or obovate-oblong, acute at apex, L 7-10 mm, glabrous or nearly so, with 5 acute angles.

Ecology and biology : *Waste places and cultivated soils in many environments. Rainfall > 1600 mm. Propagated by seeds.*
Main infested crops : *All crops.*

Herbe annuelle dressée, H 25-60 cm. Tige ± ramifiée. F. alternes, les supérieures presque opposées, à 3 folioles glabres, ovées ou ovées-oblongues, L 1,5-4,5 cm, la foliole terminale plus grande. Pétiole L 1-5 cm. Fleurs en groupes (cymes) axillaires, sur un long pédoncule. Calice de 5 sépales lancéolés L 3-4 mm. Cor. ∅ 6-8 mm, de 5 pétales obovés, L 6-8 mm, rose pâle, jaunes à la base. Etamines 10. Fruit : capsule ovée-oblongue ou obovée-oblongue, aiguë à l'extrémité, L 7-10 mm, glabre ou presque, à 5 angles aigus.

Ecologie et biologie : Lieux abandonnés et sols cultivés, dans beaucoup de situations écologiques. Pluies > 1600 mm. Propagation par graines.
Principales cultures infestées : Toutes cultures.

87 ○

87 ●

88 ○

88 ○

88 ○

89

OXALIS CORNICULATA L.

Fam : OXALIDACEAE

Vern. names : *Sorrel, Yellow sorrel, Sourgrass, Edge teeth*

Noms vern. : *Ti lozèy savann, Ti trèf, Petite oseille savane, Petit trèfle*

Range / Aire : *Pantropical. Probably all islands.* Sans doute toutes les îles.

A small prostrate, creeping herb, rooting at nodes and producing short and slender, ascending, hairy stems. Lvs alternate, 3-foliolate. Leaflets broadly obcordate, glabrous or nearly so, L 5-18 mm, sometimes ciliate on the margin. Petioles L 2-4 cm. Flowers in small axillary groups (cymes). Calyx : 5 linear sepals L 3-4 mm, beset with short hairs. Cor. ∅ 6-7 mm, with 5 obovate, bright yellow petals L 4-5 mm. Stamens 10. Fruit a capsule L 10-15 mm, linear-oblong, acute, hairy, with 5 acute angles.

Ecology and biology : *Shady waste places and cultivated soils at medium to high elevations. Propagated by seeds.*

Main infested crops : *Established bananas, ornementals.*

Petite herbe couchée, rampante, émettant à chaque noeud des racines et des tiges courtes et grêles, ascendantes, poilues. F. alternes, de 3 folioles largement obcordées, glabres ou presque, L 5-18 mm, parfois ciliées sur le bord. Pétiole L 2-4 cm. Fleurs en petits groupes (cymes) axillaires. Calice de 5 sépales linéaires, L 3-4 mm, à poils courts. Cor. ∅ 6-7 mm, de 5 pétales obovés, L 4-5 mm, d'un jaune vif. Etamines 10. Fruit : capsule linéaire-oblongue, L 10-15 mm, aiguë, poilue, à 5 angles aigus.

Ecologie et biologie : Lieux abandonnés et sols cultivés ombragés, à moyenne et haute altitude. Propagation par graines.

Principales cultures infestées : Bananeraies adultes, jardins d'agrément.

90

OXALIS DEBILIS HBK. var. **CORYMBOSA** (DC.) A. Lourteig

Fam : OXALIDACEAE

Syn. : *Oxalis corymbosa* DC., *O. martiana* Zucc.

Vern. names : *Pink sorrel, Shamrock, Malgoj*

Noms vern. : *Zèb Vochlè, Gwo trèf, Gran trèf, Herbe de Vauchelet, Gros trèfle, Grand trèfle*

Range / Aire : *Tropical America. All islands.* Amérique tropicale. Toutes les îles.

A delicate perennial herb, forming rounded tufts, H 10-30 cm. Lvs all arising from a subterranean, scaly bulb, with 3 orange lines. Petioles L 10-25 cm, with long, soft, star-shaped hairs. Lvs 3-foliolate ; leaflets L 2-5 cm, almost round to broadly obcordate. Apex notched. Margin fringed. Flowers in groups (umbel-like cymes), terminal on a floral stem arising from the base. Sepal 5, lanceolate-oblong, L ≈ 5 mm, with 2 yellow glands at the apex. Cor. ∅ 12-24 mm, with 5 obovate-oblong petals, L 7-16 mm, reddish-mauve, tinged with greenish yellow at base. Stamens 10. Capsule hairy, linear-oblong, acute, 5-angled.

Ecology and biology : *Fresh and shady places at medium to high elevations. Propagated by seeds and bulbs.*

Main infested crops : *Established bananas.*

Herbe délicate en touffe arrondie, H 10-30 cm, à feuilles naissant toutes d'un bulbe souterrain écailleux, portant 3 lignes orangées. Pétioles L 10-25 cm, à longs poils doux étoilés. F. à 3 folioles L 2-5 cm, presque rondes à largement obcordées. Extrémité échancrée. Bord frangé. Fleurs en groupes (cymes ombelliformes) terminaux sur une hampe florale naissant de la base. Sépales 5, lancéolés-oblongs, L ≈ 5 mm, à 2 glandes jaunes à l'extrémité. Cor. ∅ 12-24 mm, de 5 pétales obovés-oblongs, L 7-16 mm, mauve-rougeâtre, teintés de jaune verdâtre à la base. Etamines 10. Capsule linéaire-oblongue, poilue, aiguë, à 5 angles.

Ecologie et biologie : Lieux frais et ombragés à moyenne ou haute altitude. Propagation par graines et par bulbes.

Principales cultures infestées : Bananeraies adultes.

89 ●

89 ●

89 ●

90 ●

90 ●

90 ●

91

RIVINA HUMILIS L.
Fam : PHYTOLACCACEAE

Vern. names : *Bloodberry, Cat's blood, Dog berry, Dog blood, Dog's blood, Stork ma hork, Wild ruby, Demoiselle*
Noms vern. : *Zèb blan, Lyann blan, Herbe blanche, Liane blanche, Demoiselle*

Range / Aire : *Pantropical. All islands.* Toutes les îles.

A perennial herb or subshrub, H 30-80 cm, glabrous or finely hairy, branched, the stems angled, fragile. Lvs simple, alternate, entire with a ± undulate margin, ovate or ovate-lanceolate, membranous and flaccid, L 3-12 cm × B 2-7 cm. Base truncate, rounded or almost cordate. Apex acute or pointed. Petiole slender L 1-6 cm. Flowers small, in axillary and terminal racemes L → 15 cm. Pedicels L 4-6 mm. Perianth simple, with 4 free, oblong-elliptical, greenish-white or pink segments, L 2-3 mm. Stamens 4. Fruit a round, smooth and shiny, cherry-red berry, ∅ ≈ 4 mm, subtended by the enlarged vestigial perianth.

Ecology and biology : *Rendzinas, calcic phaeozems, rarely chromic vertisols, in rather shady conditions. Rainfall < 1500 mm. Propagated by seeds.*
Main infested crops : *Slash-and-burn cultivation in forest clearings, and neglected orchards.*

Herbe pérenne ou petit arbrisseau H 30-80 cm, glabre ou finement poilu, ramifié, à tiges anguleuses fragiles. F. simples, alternes, entières, à bord ± ondulé, ovées ou ovées-lancéolées, membraneuses et flasques, L 3-12 cm × l 2-7 cm. Base tronquée, arrondie ou presque cordée. Extrémité aiguë ou pointue. Pétiole grêle L 1-6 cm. Fleurs petites, en grappes axillaires et terminales, L → 15 cm. Pédicelles L 4-6 mm. Périanthe simple, de 4 segments libres, oblongs-elliptiques, d'un blanc verdâtre, ou roses, L 2-3 mm. Etamines 4. Fruit : baie ronde, lisse et brillante, rouge-cerise, ∅ ≈ 4 mm, soutenue par les restes agrandis du périanthe.

Ecologie et biologie : Rendzines, sols calciques mélanisés, rarement vertisols, en situation assez ombragée. Pluies < 1500 mm. Propagation par graines.
Principales cultures infestées : Jardins traditionnels sur abattis, et Vergers négligés.

92

PEPEROMIA PELLUCIDA (L.) Kunth.
Fam : PIPERACEAE

Vern. names : *Coquelian, Mantoman, Pepper elder, Rat ears, Ratta tempa, Shine bush, Silver bush, Soldier's parsley*
Noms vern. : *Kòklaya, Zèb kouwès, Cochlearia, Herbe à couresse*

Range / Aire : *Tropical America, West Africa. All islands.* Amérique tropicale. Afrique de l'Ouest. Toutes les îles.

A small, delicate and succulent herb, H → 40 cm, glabrous in all parts, with whitish, watery, very fragile stems. Lvs. simple, alternate, entire, rounded-triangular to ovate, L ≈ B 1.5-3.5 cm. Base almost truncate to cordate. Apex ± pointed. Basal nerves 5. Leaf blade light green, translucent. Petiole L 1-2 cm. Flowers minute, crowded in small, slender, upright spikes L 2-5 cm. Peduncle L ≈ 5 mm. Fruits dry, very small, L < 1 mm.

Ecology and biology : *Moist and rather shady places. Propagated by the fruits.*
Main infested crops : *All crops.*

Petite herbe délicate, succulente, H → 40 cm, entièrement glabre, à tiges blanchâtres, aqueuses et très fragiles. F. simples, alternes, entières, arrondies-triangulaires à ovées, L ≈ l 1,5-3,5 cm. Base presque tronquée à cordée. Extrémité ± pointue. Nervures basales 5. Limbe vert clair, translucide. Pétiole L 1-2 cm. Fleurs très petites, en petits épis grêles dressés, L 2-5 cm. Pédoncule L ≈ 5 mm. Fruits secs, très petits, L < 1 mm.

Ecologie et biologie : Lieux frais et assez ombragés. Propagation par les fruits.
Principales cultures infestées : Toutes cultures.

91 ●

92 ●

93

PIPER DILATATUM L. C. Rich.
Fam : PIPERACEAE

Vern. names : *Elderbush, Rock bush*

Noms vern. : *Malenbé, Ké a rat, Bwa syèj, Bwa chandèl, Bwa sirik, Bwa né, Manjé lapen, Malimbé, Queue de rat, Bois cierge, Bois chandelle, Bois cyrique, Bois noeud, Manger lapin*

Range / Aire : *Tropical America. All islands.* Amérique tropicale. Toutes les îles.

A very variable species. Erect shrub or subshrub, H 1.5-3.5 m, much branched. Young stems glabrous or hairy (but ageing glabrous). Lvs simple, alternate, entire, membranous and flaccid, ± corrugated, L 12-26 cm × l 7-15 cm, very variable in shape ; base acute, rounded or ± cordate (specially in the young lvs) and unequal-sided at base. Apex pointed. Petioles L 7-22 mm. Stipules large, membranous, L 15-30 mm, quickly falling away. Flowers very small, very crowded on axillary, slender, upright, whitish spikes L 6-15 cm × ∅ 3-4 mm. Fruits small, ± fleshy, obconical-triangular.

Ecology and biology : *Moist and rather shady places at medium to high elevations. Propagated by the fruits.*
Main infested crops : *Bananas, root crops.*

Espèce très variable. Arbrisseau ou arbuste H 1,5-3,5 m, très branchu, droit. Branches jeunes glabres ou poilues (mais devenant glabres). F. simples, alternes, entières, membraneuses et flasques, ± gaufrées, L 12-26 cm × l 7-15 cm, de forme très variable, aiguës, arrondies ou cordées (surtout les jeunes) et inégales à la base. Extrémité pointue. Pétiole L 7-22 mm. Stipules grandes, membraneuses, tombant rapidement, L 15-30 mm. Fleurs très petites et très serrées sur des épis axillaires grêles, dressés, blanchâtres, L 6-15 cm × ∅ 3-4 mm. Fruits petits, ± charnus, obconiques-triangulaires.

Ecologie et biologie : Lieux frais et assez ombragés, à moyenne ou haute altitude. Propagation par les fruits.
Principales cultures infestées : Bananeraies, Racines.

94

ANTIGONON LEPTOPUS Hook. & Arn.
Fam : POLYGONACEAE

Vern. names : *Bride's tears, Coralilla, Coralita, Mexican creeper*
Noms vern. : *La belle Mexicaine*

Range / Aire : *Central America, now pantropical. All islands.* Amérique centrale, devenu pantropical. Toutes les îles.

Herbaceous vine, climbing by means of tendrils, finely pubescent to almost glabrous. Stems branching, L → 5 m. Roots often with tubers. Lvs simple, alternate, ovate, light green, membranous or papery and puckered, L 6-12 cm. Base cordate, apex acute or acuminate. Petioles L 1-4 cm, with bases sheathing the stem. Inflorescences pendant racemes, L 3-10 cm, of several flowers. Perianth bright pink, occasionally white, L ≈ 5 mm, increasing to 10-15 mm in fruit. Fr. a 3-angled achene, enclosed in the perianth.
Often used as an ornamental.

Ecology and Biology : *Waste places and cultivated soils mainly in drier areas. Propagated by achenes and probably from roots and tubers.*
Main infested crops : *Orchards.*

Liane herbacée, grimpant grâce à ses vrilles, finement poilue à presque glabre. Tiges ramifiées, L → 5 m. Racines formant souvent des tubercules. F. simples, alternes, ovées, vert clair, membraneuses ou papyracées, gaufrées, L 6-12 cm. Base cordée, apex aigu ou acuminé. Pétiole L 1-4 cm, engainant la tige à la base. Fleurs en grappes pendantes de plusieurs fleurs, L 3 à 10 cm. Périanthe d'un rose vif, ou parfois blanc, L ± 5 mm, atteignant 10-15 mm au fruit. Fr. : akène triangulaire, inclus dans le périanthe.
Souvent utilisé comme plante ornementale.

Ecologie et Biologie : Lieux abandonnés et sols cultivés, surtout dans les zones sèches. Propagation par les akènes, et sans doute par les racines et les tubercules.
Principales cultures infestées : Vergers.

93 93

94

94

95

PORTULACA OLERACEA L.
Fam : PORTULACACEAE

Vern. names : *Purslane, Pussley, Hog bhaji*

Noms vern. : *Poupyé, Koupyé, Pourpier*

Range / Aire : *In the whole world, except the colder countries.* Dans le monde entier, à l'exception des pays froids.

An annual, glabrous herb. Stems stout and succulent, ± reddish, prostrate and radiating, or sometimes ± diffuse. Lvs simple, alternate or almost opposite, very thick, watery, obovate, L 1-4 cm × B 3-16 mm. Base attenuate, sessile or nearly so. Apex rounded or flattened. Flowers axillary, sessile. Sepals 2, keeled, acute, L 3-5 mm. Petals 5, yellow, L 4-6 mm, deeply notched at apex. Stamens 7-12. Capsule L ≈ 6 mm, opening around the circumference (lens necessary), covered by the withered cor.

Ecology and biology : *Waste places and cultivated soils in many environments. Propagated by seeds and stem cuttings.*

Main infested crops : *All crops, except established bananas.*

Herbe annuelle, glabre, couchée, à tiges ± rougeâtres, radiantes, ou parfois diffuses. F. simples, alternes ou presque opposées, très épaisses, aqueuses, obovées, L 1-4 cm × l 3-16 mm. Base rétrécie, sessile ou presque. Extrémité arrondie ou aplatie. Fleurs axillaires, sessiles. Sépales 2, carénés, aigus, L 3-5 mm. Pétales 5, jaunes, L 4-6 mm, profondément échancrés à l'extrémité. Etamines 7-12. Capsule L ≈ 6 mm, s'ouvrant par une circonférence (loupe nécessaire), couverte par la cor. fanée.

Ecologie et biologie : Lieux abandonnés et sols cultivés, dans beaucoup de situations écologiques. Propagation par graines et par fragments de tiges.

Principales cultures infestées : Toutes cultures, sauf Bananeraies adultes.

96

SPERMACOCE ASSURGENS R. & P.
Fam : RUBIACEAE
Syn. : *Borreria laevis* sensu auct.

Vern. names : *Button weed, Iron grass, White broom, Zèb akwé*

Noms vern. : *Makònèt, Zèb makònèt, Macornet, Herbe à macornet*

Range / Aire : *Tropical America. Now almost pantropical. All islands.* Amérique tropicale. Devenu presque pantropical. Toutes les îles.

A variable species. Annual (or short-lived perennial) herb, often slightly woody at base, H 20-80 cm, glabrous or ± hairy. Main stem branched or not. Lvs simple, opposite, entire, lanceolate or elliptical, L 2-6 cm × B 0.5-2.5 cm, very shortly petioled. Leaf blade horizontally spreading, rather stiff to membranous (ecotypes or varieties ?). Stipules united into a sheath between the petioles, L 3-5 mm, fringed with straight bristles L 3-5 mm. Flowers small, white, tubular, 4-lobed, gathered into sessile, terminal and axillary glomerules. Capsule L 2-3 mm, hairy at the apex. Seeds 2, brown, L 1.5-2.5 mm, with transverse furrows on the back (lens necessary).

Ecology and biology : *Waste places and cultivated soils in many environments. Propagated by seeds.*

Main infested crops : *All crops.*

Espèce variable. Herbe annuelle ou brièvement pérenne, souvent un peu ligneuse à la base, H 20-80 cm, glabre ou ± poilue. Tige principale ramifiée ou simple. F. simples, opposées, entières, lancéolées ou elliptiques, L 2-6 cm × l 0,5-2,5 cm, à pétiole très court. Limbe étalé horizontalement, assez rigide à membraneux (écotypes ou variétés ?). Stipules soudées en une gaine entre les pétioles, L 3-5 mm, frangée de soies droites L 3-5 mm. Fleurs petites, blanches, en tube, à 4 lobes, réunies en glomérules sessiles, terminaux et axillaires. Capsule L 2-3 mm, poilue à l'extrémité. Graines 2, brunes, L 1,5-2,5 mm, à sillons transversaux sur le dos (loupe nécessaire).

Ecologie et biologie : Lieux abandonnés et sols cultivés, dans beaucoup de situations écologiques. Propagation par graines.

Principales cultures infestées : Toutes cultures.

95 ●

95 ●

95 ●

96 ●

96 ●

96 ●

97

SPERMACOCE LATIFOLIA Aubl.
Fam : RUBIACEAE
Syn. : *Borreria latifolia* (Aubl.) K. Schum.

Vern. names : *None known*
Noms vern. : *Gwo makònèt, Gros macornet*

Range / Aire : *Northern South America. Range in the Lesser Antilles to be checked.* Nord de l'Amérique du Sud. Répartition aux Petites Antilles à préciser.

An annual herb, prostrate or ± diffuse, with stout stems, these yellowish-green to purplish, L 20-90 cm, often rooting at nodes, 4-angled, the angles slightly winged and hairy. Lvs simple, opposite, entire, broadly ovate to oblong-lanceolate, L 3-8 cm × B 1.5-4 cm, with appressed hairs. Lateral nerves 4-7 pairs, conspicuous. Stipules united between the petioles into a sheath L 2-3 mm, fringed with bristles L 5-12 mm. Flowers in axillary whorls. Cor. white to bluish, with a tube L ≈ 4 mm and 4 lobes L 1.5-2 mm. Capsule ellipsoidal, L 3-5 mm, mostly hairy. Seeds 2, dark brown, finely punctate on the back (lens necessary), L ≈ 2.5 mm × B ≈ 1.5 mm.

Ecology and biology : *Flat and deep ferralic cambisols. Propagated by seeds.*
Main infested crops : *Vegetables, rootcrops, sugarcane.*

Herbe annuelle, couchée ou ± diffuse, à grosses tiges vert-jaune à ± pourprées, L 20-90 cm, émettant souvent des racines aux noeuds, à 4 angles un peu ailés et poilus. F. simples, opposées, entières, largement ovées à oblongues-lancéolées, L 3-8 cm × l 1,5-4 cm, à poils appliqués. Nervures latérales très marquées, 4-7 paires. Stipules soudées entre les pétioles en une gaine L 2-3 mm, frangée de soies L 5-12 mm. Fleurs en verticilles axillaires. Cor. blanche à bleuâtre, à tube L ≈ 4 mm, et à 4 lobes L 1,5-2 mm. Capsule ellipsoïde, L 3-5 mm, en général poilue. Graines 2, brun-noir, finement ponctuées sur le dos (loupe nécessaire), L ≈ 2,5 mm × l ≈ 1,5 mm.

Ecologie et biologie : Sols ferrallitiques plats et profonds. Propagation par graines.
Principales cultures infestées : Maraîchage, Racines, Canne.

98

SPERMACOCE PROSTRATA Aubl.
Fam : RUBIACEAE
Syn. : *Borreria parviflora* G.F.W. Meyer

Vern. names : *None known*
Noms vern. : *Ti makònèt, Petit macornet*

Range / Aire : *To be checked (tropical America ?). Probably all islands.* A préciser (Amérique tropicale ?). Sans doute toutes les îles.

A delicate, spreading or very diffuse herb. Stems branched, rather watery, often reddish or red, with 4 clearly winged angles. Lvs simple, opposite, entire, attenuate at both ends, L 8-25 mm × B 4-12 mm, often tinged with purple at base. Petiole short, ± red. Young lvs slightly hairy beneath. Stipules united between the petioles into a sheath fringed with bristles. Flowers white, minute, in small terminal and axillary glomerules or whorls, subtended by 2-4 lvs. Capsule conical, very small, L 1-1.2 mm. Seeds reddish brown, L 0.8-1 mm, with a honeycomb-like pattern on the back (powerful lens necessary).

Ecology and biology : *Flat and deep ferralic cambisols. Propagated by seeds.*
Main infested crops : *Vegetables, rootcrops, sugarcane.*

Herbe délicate, étalée ou très diffuse. Branches ramifiées, assez aqueuses, souvent rougeâtres ou rouges, à 4 angles très nettement ailés. F. simples, opposées, entières, rétrécies aux deux extrémités, L 8-25 mm × l 4-12 mm, souvent teintées de pourpre à la base, à court pétiole ± rouge. F. jeunes un peu poilues en dessous. Stipules soudées en gaine frangée de soies entre les pétioles. Fleurs blanches, très petites, en petits glomérules ou verticilles terminaux et axillaires, involucrés par 2-4 F. Capsule conique, très petite, L 1-1,2 mm. Graines L 0,8-1 mm, brun-rougeâtre, ornementées sur le dos d'un réseau en nid d'abeille (forte loupe nécessaire).

Ecologie et biologie : Sols ferrallitiques plats et profonds. Propagation par graines.
Principales cultures infestées : Maraîchage, Racines, Canne.

97 ● 97 ●

98 ● 98 ●

99

SPERMACOCE VERTICILLATA L.
Fam : RUBIACEAE
Syn. : *Borreria verticillata* (L.) G.F.W. Meyer

Vern. names : *White broom*
Noms vern. : *Aucun connu*

Range / Aire : *Almost pantropical. StM, Mart, StL, StV, and probably other islands.* Presque pantropical. StM, Mart, StL, StV, et sans doute d'autres îles.

Subshrub H 35-80 cm, ± spherical, much branched. Stems ± 4-angled. Lvs simple, opposite, entire, linear-lanceolate, L 2.5-5 cm × B 6-12 mm, glabrous and smooth ; lateral nerves few, inconspicuous. Central nerve prominent beneath, with some very short, soft spines. Base attenuate ; apex very variable. Stipules united between the petioles into a sheath L 3-4 mm, with appendages of the same length. Flowers in terminal and axillary glomerules, the terminal ones almost spherical, ∅ 8-12 mm. Cor. white, with a flared tube L ≈ 1.5 mm and 4 triangular lobes. Capsule glabrous, ovoid to oblong, L 2.5-3 mm. Seeds blackish, L 1.5-2.5 mm.

Ecology and biology : *Waste places and cultivated soils in many environments. Propagated by seeds.*
Main infested crops : *Vegetables, root cops, sugarcane.*

Sous-arbrisseau en boule, très ramifié, H 35-80 cm. Tiges à 4 angles ± marqués. F. simples, opposées, entières, linéaires-lancéolées, L 2,5-5 cm × l 6-12 mm, glabres et lisses, à nervures latérales peu nombreuses et peu marquées. Nervure centrale saillante en dessous, portant quelques très courtes épines souples. Base rétrécie ; extrémité très variable. Pétiole très court. Stipules soudées entre les pétioles en une gaine L 3-4 mm, portant des appendices de même longueur. Fleurs en glomérules terminaux et axillaires, les terminaux presque sphériques, ∅ 8-12 mm. Cor. blanche, à tube évasé L ≈ 1,5 mm, et à 4 lobes triangulaires. Capsule glabre, ovoïde à oblongue, L 2,5-3 mm. Graines noirâtres, L 1,5-2,5 mm.

Ecologie et biologie : Lieux abandonnés et sols cultivés, dans beaucoup de situations écologiques. Propagation par graines.
Principales cultures infestées : Maraîchage, Racines, Canne.

100

DIODIA OCYMIFOLIA (Willd.) Bremekamp
Fam : RUBIACEAE
Syn. : *Hemidiodia ocymifolia* (Willd.) K. Schum.

Vern. names : *none known*
Noms vern. : *Zèb makònèt, Herbe à macornet*

Range / Aire : *Tropical America. All islands, except StL and StV* Amérique tropicale. Toutes les îles, sauf StL et StV.

Erect herb, ± woody at base, stiff, often sparingly branched, H 40-90 cm. Stems cylindrical, ± blackish. Twigs obtusely 4-angled. Lvs simple, alternate, ovate-lanceolate to lanceolate, rather rough, dull green, L 3-8 cm × B 0.8-2.5 cm, attenuate at both ends. Lateral nerves 5 pairs, rather conspicuous, running up the leaf. Petioles short. Stipules united between the petioles into a sheath L 3-4 mm, fringed with bristles of the same length. Flowers in few-flowered axillary whorls. Calyx villous, L 1.5 mm. Cor. white, villous inside, 2-4 mm, with outrolled lobes. Fruits 2 per flower, falling off when ripe, L 2-3 mm, hairy at the top. Seeds blackish, finely punctate on the back, L 1.8-2.5 mm × B ≈ 1 mm.

Ecology and biology : *Shady places on ferralic cambisols, at medium to high elevations. Rainfall > 1900 mm. Propagated by seeds.*
Main infested crops : *Bananas, root crops.*

Herbe, ± ligneuse à la base, érigée, rigide, souvent peu ramifiée, H 40-90 cm. Tiges cylindriques, ± noirâtres. Rameaux à 4 angles obtus. F. simples, alternes, ovées-lancéolées à lancéolées, assez râpeuses, d'un vert terne, L 3-8 cm × l 0,8-2,5 cm, rétrécies aux deux extrémités. Nervures latérales 5 paires, assez marquées, très ascendantes. Pétiole court. Stipules unies entre les pétioles en une gaine L 3-4 mm, frangées de soies de même longueur. Fleurs en verticilles axillaires peu fournis. Calice velu, L 1,5 mm. Cor. blanche, velue à l'intérieur, L 2-4 mm, à lobes s'enroulant vers l'extérieur. Fruits 2 par fleur, tombant à maturité, L 2-3 mm, poilus au sommet. Graines noirâtres, finement pontulées sur le dos, L 1,8-2,5 mm × l ≈ 1 mm.

Ecologie et biologie : Lieux ombragés, sur sols ferralitiques à moyenne et haute altitude. Pluies > 1900 mm. Propagation par graines.
Principales cultures infestées : Bananeraies, Racines.

99 ● 99 ●

100 ●

100 ●

101

SPERMACOCE CONFUSA Rendle

Fam : RUBIACEAE

Vern. names : *Button weed*

Noms vern. : *Zèb makònèt, Herbe à macornet*

Range / Aire : *Tropical America. All islands.* Amérique tropicale. Toutes les îles.

An annual, erect herb, H 15-90 mm, mostly much branched. Stems and lvs with scattered, stiff, greyish hairs. Lvs simple, opposite, entire, narrowly elliptical to almost linear, L 2-6 cm × B 4-25 mm. Base rounded or attenuate ; apex acute. Petiole L → 5 mm. Stipules united between the petioles into a sheath L 1-2 mm, with bristles mostly clearly longer. Flowers in axillary whorls. Calyx shortly 4-lobed. Cor. white or pale mauve ; tube L ≈ 1.5 mm ; lobes L 0.5 mm (lens necessary). Capsule L 2-3 mm. Seeds 2, dark brown, L ≈ 1.5 mm.

Ecology and biology : *Waste places and cultivated soils in many environments. Propagated by seeds.*

Main infested crops : *All crops, except established bananas.*

Herbe annuelle érigée, H 15-90 cm, en général très ramifiée. Tiges et F. à poils raides épars, grisâtres. F. simples, opposées, entières, étroitement elliptiques à presque linéaires, L 2-6 cm × 1 4-25 mm. Base arrondie ou rétrécie ; extrémité aiguë. Pétiole L → 5 mm. Stipules unies entre les pétioles en une gaine L 1-2 mm, portant des soies en général nettement plus longues. Fleurs en verticilles axillaires. Calice à 4 lobes courts. Cor. blanche ou mauve pâle ; tube L ≈ 1,5 mm ; lobes L 0,5 mm (loupe nécessaire). Capsule L 2-3 mm. Graines 2, brun sombre, L ≈ 1,5 mm.

Ecologie et biologie : Lieux abandonnés et sols cultivés, dans beaucoup de situations écologiques. Propagation par graines.

Principales cultures infestées : Toutes cultures, sauf Bananeraies adultes.

102

CARDIOSPERMUM MICROCARPUM Kunth

Fam : SAPINDACEAE

Syn. : *C. halicacabum* L. *var. microcarpum (Kunth)* Bl.

Vern. names : *Heart seed, Balloon vine, Wild parsley, Calthrops*

Noms vern. : *Pèsi bata, Lyann pèsi, Persil bâtard, Liane persil*

Range / Aire : *Pantropical. All islands.* Toutes les îles.

Climber, ± woody at base, with finely hairy stems. Lvs. alternate, bipinnate with odd leaflets and pinnae, L 4-8 cm, with 3 pinnae. Leaflets thin, light green, coarsely lobed to incised. Flowers in axillary groups (corymbs), each with 2 opposite tendrils. Peduncle slender, as long as the lvs. Calyx of 4 sepals, the 2 outer ones smaller. Petals 4 (2 larger and 2 smaller), white, L 2-4 mm, with minute woolly flakes. Stamens 8, with unequal, hairy filaments. Fruit a papery capsule, light green, ripening light brown, triangular, inflated, L → 1.5 cm × ∅ ≈ 2.5 cm. Seeds hard, rounded, dark blue, ∅ ≈ 3 mm, with a heart-shaped white mark (hilum).

Ecology and biology : *Rainfall < 1600 mm. Propagated by seeds.*

Main infested crops : *Root crops, sugarcane, vegetables.*

Liane grimpante, ± ligneuse à la base, à tiges finement pubescentes. F. alternes, imparibipennées, L 4-8 cm, à 3 pennes. Folioles fines, vert clair, grossièrement lobées à découpées. Fleurs en groupes (corymbes) axillaires, chacun muni de 2 vrilles opposées. Pédoncule grêle, de la longueur des F. Calice de 4 sépales, les 2 externes plus courts. Pétales 4 (2 grands et 2 petits), blancs, L 2-4 mm, à très petits flocons laineux. Etamines 8, à filets poilus inégaux. Fruit : capsule à consistance de papier, vert clair, devenant brun clair à maturité, triangulaire, pleine d'air, L → 1,5 cm × ∅ ≈ 2,5 cm. Graines dures, rondes, bleu foncé, ∅ ≈ 3 mm, portant un dessin blanc en coeur (hile).

Ecologie et biologie : Pluies < 1600 mm. Propagation par graines.

Principales cultures infestées : Racines, Canne, Maraîchage.

101 ● 101 ●

102 ●

102 ●

103

DATURA INOXIA Mill.

Fam : SOLANACEAE

Syn. : *Datura metel* Griseb., non L.

Vern. names : *Belladona, Jimson weed, Prickly bur, Nightshade, Thorn apple*

Noms vern. : *Belladone, Konkonb (a) chyen, Konkonb dyab, Concombre (à) chien, Concombre diable*

Range / Aire : *Tropical America. Now pantropical. Most of the islands.* Amérique tropicale. Devenu pantropical. La plupart des îles.

An annual herb, the main stem simple or sometimes branched, H 0.45-1.50 m, with an unpleasant smell. Branches spreading, covered with small, shiny, slightly sticky hairs. Lvs simple, alternate, broadly ovate to almost rounded in outline, velvety and sticky, flaccid, L 5-15 cm × B 3-8 cm ; young lvs entire, the older ones sinuate and ± toothed. Base rounded or cordate and non-symmetrical. Petioles L 4-8 cm. Flowers solitary, axillary or terminal. Peduncle L 10-15 mm. Calyx cylindrical, L 7-9 cm, with 5 shallow lobes. Cor. L 13-20 cm, pure white ; tube cylindrical, L 15-18 cm, flared upwards ; limb flared, ∅ 7-10 cm, with 5 short and pointed appendages. Fruit a globose or ovoid, drooping capsule, ∅ 3-4 cm, hairy and with tapering, spreading prickles L 8-20 mm.

Ecology and biology : *Waste places and cultivated soils in many environments. Propagated by seeds.*

Main infested crops : *Root crops, eggplant, natural pastures.*

Herbe annuelle, à tige simple, ou parfois ramifiée, H 0,45-1,50 m, d'odeur désagréable. Branches étalées, couvertes de petits poils brillants, un peu collants. F. simples, alternes, de contour largement ové à presque arrondi, veloutées et collantes, assez flasques, L 8-15 cm × 1 3-8 cm, les jeunes entières, les adultes sinuées et ± dentées. Base arrondie ou cordée et dissymétrique. Pétiole L 4-8 cm. Fleurs solitaires, axillaires ou terminales. Pédoncule L 10-15 mm. Calice cylindrique, L 7-9 cm, à 5 lobes peu marqués. Cor. L 13-20 cm, d'un blanc pur ; tube cylindrique, évasé vers le haut, L 15-18 cm ; limbe évasé, ∅ 7-10 cm, à 5 appendices courts et pointus. Fruit : capsule globuleuse ou ovoïde, pendante, ∅ 3,5-5 cm, poilue et munie de piquants effilés et étalés, L 8-20 mm.

Ecologie et biologie : Lieux abandonnés et sols cultivés, dans beaucoup de situations écologiques. Propagation par graines.

Principales cultures infestées : Racines, Aubergine, Savanes.

104

DATURA STRAMONIUM L.

Fam : SOLANACEAE

Vern. names : *Belladona, Thorn apple, Nightshade, Trimona, Jimson weed, Devil's trumpet*

Noms vern. : *Belladone, Konkonb chyen, Konkonb dyab, Concombre (à) chien, Concombre diable*

Range / Aire : *In the whole world, except in the colder countries. Probably all islands.* Dans le monde entier, sauf dans les pays froids. Sans doute dans toutes les îles.

Glabrous herb, H 0.30-1 m, with an unpleasant smell. Stem robust, simple or branched. Branches often forked. Lvs simple, alternate, rather flaccid, ovate (the young lvs more elongated) in outline, irregularly toothed or lobed, L 6-18 cm × B 4-15 cm. Base cuneate ; apex pointed. Petioles L 3-10 cm. Flowers solitary, at the forks of the branches. Peduncle L 5-10 mm. Calyx tubular, swollen at the base, L 3.5-5 cm, 5-lobed, and with 5 prominent ribs. Cor. white or purplish ; tube narrow, L 7-10 cm ; limb flared, ∅ 3-4 cm. Capsule erect, ovoid, L 3-4 cm, with tapering, spreading prickles L 5-8 mm.

Ecology and biology : *Waste places and cultivated soils in many environments. Propagated by seeds. Rare in some islands.*

Main infested crops : *Root crops, natural pastures.*

Herbe glabre, érigée, H 0,30-1 m, d'odeur désagréable. Tige forte, unique ou ramifiée. Branches souvent ramifiées en fourche. F. simples, alternes, assez flasques, de contour ové (les jeunes plus allongées), irrégulièrement dentées ou lobées, L 6-18 cm × 1 4-15 cm. Base en coin ; extrémité pointue. Pétiole L 3-10 cm. Fleurs solitaires, aux fourches des branches. Pédoncule L 5-10 mm. Calice en tube renflé à la base, L 3,5-5 cm , à 5 lobes et à 5 côtes saillantes. Cor. blanche ou violacée ; tube étroit, L 7-10 cm ; limbe évasé, ∅ 3-4 cm. Capsule dressée, ovoïde, L 3-4 cm, couverte de piquants effilés et étalés, L 5-8 mm.

Ecologie et biologie : Lieux abandonnés et sols cultivés, dans beaucoup de situations écologiques. Propagation par graines. Rare dans certaines îles.

Principales cultures infestées : Racines, Savanes.

103

103

103

104

105

PHYSALIS ANGULATA L.
Fam : SOLANACEAE

Vern. names : *Cow pops, Hog weed, Pops, Popvine, Wild gouma, Winter cherry, Cape gooseberry, Wild gooseberry*
Noms vern. : *Pòk, Zèb a pòk, Poc, Herbe à poc*

Range / Aire : *Pantropical. All islands, perhaps except Mont and StL.* Toutes les îles, sauf peut-être Mont et StL.

An annual, erect, glabrous herb, H 30-80 cm. Stem rather thick, hollow, ± watery, angled. Branches spreading. Lvs simple, alternate, elliptical or ovate, membranous and flaccid, L 5-12 cm × B 3-6 cm. Margin entire or sinuate and toothed. Base and apex attenuate. Petioles slender, L 2-8 cm. Flowers solitary, axillary. Peduncles erect, L 2-3 cm. Calyx with 5 triangular lobes. Cor. pale yellow, 5-angled, ∅ 6-9 mm. Stamens 5, with purple anthers. Calyx much enlarged, papery and inflated when ripe, L 2-3 cm, enclosing a rounded yellow berry ∅ 6-10 mm.
P. pubescens *L. var.* pubescens *is a related species, covered with short, velvety, sticky hairs.*
Ecology and biology : *Waste places and cultivated soils, mostly in rather dry conditions. Rainfall < 2000 mm. Propagated by seeds.*
Main infested crops : *Vegetables, root crops.*

Herbe annuelle dressée, glabre, H 30-80 cm. Tige assez grosse, creuse, ± aqueuse, anguleuse. Branches étalées. F. simples, alternes, elliptiques ou ovées, membraneuses et flasques, L 5-12 cm × 1 3-6 cm. Bord entier ou sinué-denté. Base et extrémité longuement rétrécies. Pétiole grêle L 2-8 cm. Fleurs solitaires, axillaires. Pédoncule dressé, L 2-3 cm. Calice à 5 lobes triangulaires. Cor. jaune pâle, à 5 angles, ∅ 6-9 mm. Etamines 5, à anthères violacées. Calice très agrandi et enflé au fruit, L 2-3 cm, à consistance de papier, incluant une baie ronde, jaune, ∅ 6-10 mm.
P. pubescens L. var. *pubescens* est une espèce voisine couverte de poils courts, veloutés et "collants".
Ecologie et biologie : Lieux abandonnés et sols cultivés, surtout en situation assez sèche. Pluies < 2000 mm. Propagation par graines.
Principales cultures infestées : Racines, Maraîchage.

106

SOLANUM AMERICANUM Mill.
Fam : SOLANACEAE
Syn. : *Solanum caribaeum* Dunal, *Solanum nodiflorum* Dunal

Vern. names : *Bitter gouma, Black nightshade, Spinach, Zèb amè, Gouma, Agouma*

Noms vern. : *Agoman, Agouman, Zèb a kalalou, Herbe à calalou*

Range / Aire : *Tropical America. All islands.* Amérique tropicale. Toutes les îles.

An annual herb, erect or diffuse, much branched, H 25-70 cm. Stems rather fragile, glabrous or slightly hairy. Lvs simple, alternate, the upper ones often almost opposite, membranous and flaccid, ovate or ovate-lanceolate, L 3-12 cm. Margin entire, sinuate and toothed, or coarsely angled. Base variable. Apex pointed. Petioles L 10-25 mm. Flowers in 3-10's in lateral umbels. Peduncle L 8-20 mm. Pedicels L 6-15 mm. Calyx with 5 oblong, rounded lobes. Cor. white, bluish or purplish, ∅ 4-6 mm, with 5 oblong-lanceolate, acute lobes, hairy outside. Anthers 5, erect, crowded around the style, L 1-2.5 mm. Berries rounded, purplish black and shiny when ripe, ∅ 4-8 mm, on arching, drooping pedicels. Seeds flattened.
Ecology and biology : *Waste places and cultivated soils in many environments. Propagated by seeds.*
Main infested crops : *All crops.*

Herbe annuelle, dressée ou diffuse, très ramifiée, H 25-70 cm. Tiges assez fragiles, glabres ou un peu poilues. F. simples, alternes, les supérieures souvent presque opposées, membraneuses et flasques, ovées ou ovées-lancéolées, L 3-12 cm. Bord entier, sinué-denté ou grossièrement angulé. Base variable. Extrémité pointue. Pétiole L 10-25 mm. Fleurs par 3-10, en ombelles latérales. Pédoncule L 8-20 mm. Pédicelles L 6-15 mm. Calice à 5 lobes oblongs, arrondis. Cor. blanche, bleutée ou pourprée, ∅ 4-6 mm, à 5 lobes oblongs-lancéolés, aigus, poilus à l'extérieur. Anthères 5, dressées, serrées autour du style, L 1-2,5 mm. Baies rondes, noir-pourpre et brillantes à maturité, ∅ 4-8 mm, sur des pédicelles arqués-retombants. Graines plates.
Ecologie et biologie : Lieux abandonnés et sols cultivés, dans beaucoup de situations écologiques. Propagation par graines.
Principales cultures infestées : Toutes cultures.

105 ● 105 ●

106 ●

106 ●

106 ●

107

SOLANUM TORVUM Sw.
Fam : SOLANACEAE

Vern. names : *Bata melanjèn, Gully bean, Shooshoo bush, Susumber, Turkey berry, Wild eggplant, Wild tomato, Small red trubba, Small red truleba*
Noms vern. : *Bélanjè bata, Mélonjèn dyab, Bélangère bâtarde, Mélongène diable*

Range / Aire : *Tropical America. Now almost pantropical. All islands.* Amérique tropicale. Devenu presque pantropical. Toutes les îles.

Shrub or subshrub H 1-3 m, potentially a small tree, erect, rather sparingly branched. Branches spreading or drooping, slightly spiny, with star-shaped hairs. Lvs simple, alternate, ovate in outline, membranous, rather flaccid, greyish green, covered with star-shaped hairs, L 8-25 cm × B 5-18 cm. Base rounded, truncate or cordate ; apex variable. Margin entire or with 2-4 pairs of ± conspicuous lobes. Nerves ± spiny. Petiole rather stout, L 3-10 cm. Flowers in forked, lateral groups (cymes). Pedicels L 5-8 mm. Calyx L 3-5 mm, with 5 spiny lobes. Cor. white, ∅ 10-15 mm, with 5 elongated lobes. Anthers 5, crowded around the style, L ± 5 mm. Berry rounded, dull orange-yellow when ripe, ∅ 9-16 mm. Seeds flat, ∅ 2-2.5 mm.

Ecology and biology : *Waste places and cultivated soils in rather rainy areas. Rainfall > 1700 mm. Propagated by seeds.*
Main infested crops : *All crops.*

Arbrisseau ou arbuste H 1-3 m, pouvant devenir un petit arbre, dressé, assez peu ramifié. Branches étalées ou retombantes, un peu épineuses, à poils étoilés. F. simples, alternes, de contour ové, membraneuses, assez flasques, d'un vert grisâtre, couvertes de poils étoilés, L 8-25 cm × l 5-18 cm. Base arrondie, tronquée ou cordée ; extrémité variée. Bord entier ou à 2-4 paires de lobes ± marqués. Nervures ± épineuses. Pétiole assez gros, L 3-10 cm. Fleurs en groupes (cymes) fourchus, latéraux. Pédicelles L 5-8 mm. Calice L 3-5 mm, à 5 lobes épineux. Cor. blanche, ∅ 10-15 mm, à 5 lobes allongés. Anthères 5, serrées autour du style, L ± 5 mm. Baie ronde, terne, jaune-orangé à maturité, ∅ 9-16 mm. Graines plates ∅ 2-2,5 mm.

Ecologie et biologie : Lieux abandonnés et sols cultivés en zone assez arrosée. Pluies > 1700 mm. Propagation par graines.
Principales cultures infestées : Toutes cultures.

108

MELOCHIA PYRAMIDATA L.
Fam : STERCULIACEAE

Vern. names : *Wire bush*

Noms vern. : *Mauve*

Range / Aire : *Pantropical. All islands.* Toutes les îles.

Small shrub H 0.30-0.90 m. Main stem slender, with oblique branches, the younger ones finely hairy. Lvs simple, alternate, ovate, lanceolate or oblong-lanceolate, glabrous, bright green, L 2-6 cm. Base cuneate or truncate. Margin toothed. Petiole L 5-15 mm. Stipules linear L 2-3 mm. Flowers in groups (cymes) opposite to the lvs. Peduncle almost as long as the petiole. Calyx L 4 mm, bell-shaped, with 5 teeth. Cor. purplish or mauve, tinged with yellow at the base, with 5 ± obovate petals L 6-7 mm. Fruit a pyramidal, 5-angled capsule, L 6-8 mm.

Ecology and biology : *Waste places and crops, mainly on chromic vertisols and calcic phaeozems ; rainfall < 1800 mm. Propagated by seeds.*
Main infested crops : *Vegetables, root crops.*

Petit arbrisseau H 0,30-0,90 m. Tige principale grêle, à branches obliques, les jeunes finement poilues. F. simples, alternes, ovées, lancéolées ou oblongues-lancéolées, glabres, d'un vert vif, L 2-6 cm. Base en coin ou tronquée. Bord denté. Pétiole L 5-15 mm. Stipules linéaires L 2-3 mm. Fleurs en groupes (cymes) opposés aux F. Pédoncule presque aussi long que le pétiole. Calice L 4 mm, en cloche, à 5 dents. Cor. violacée ou mauve, teintée de jaune à la base, de 5 pétales ± obovés, L 6-7 mm. Fruit : capsule pyramidale, à 5 angles, L 6-8 mm.

Ecologie et biologie : Lieux abandonnés et champs, surtout sur vertisols et sols calciques mélanisés ; pluies < 1800 mm. Propagation par graines.
Principales cultures infestées : Maraîchage, Racines.

107 ●

108 ●

108 ●

108 ●

109

TRIUMFETTA SEMITRILOBA Jacq.
Fam : TILIACEAE

Vern. names : *Mahoe*
Noms vern. : *Tèt a nèg, Tête à nègre*

Range / Aire : *Tropical America. All islands.* Amérique tropicale. Toutes les îles.

Perennial herb or subshrub H 0.80-1,50 m, covered with star-shaped hairs, often branched from the base. Stems and branches dark brown. Lvs simple, alternate, diamond-shaped or almost rounded, angled or 3-lobed, L 3-15 cm. Base rounded or truncate. Margin toothed. Petiole L 2-5 cm. Stipules linear, L 5-6 mm. Flowers in axillary bundles, on terminal twigs with reduced, ± lanceolate, almost sessile lvs. Calyx of 5 ± reddish sepals, L 5-8 mm, hooded, with a short appendage near the top of the back. Petals 5, yellow, short, linear or spathulate. Stamens ± 15, yellow. Fruit a small rounded capsule ∅ 3-5 mm, glabrous but with hooked, retrorsely barbed prickles.
T. lappula *L., a related species, has 10 stamens, and no petals.*

Ecology and biology : *Rather shady places, mainly on ferralic cambisols at low to medium elevations. Rainfall > 1600 mm. Propagated by the fruits.*
Main infested crops : *Root crops, sugarcane, young bananas.*

Herbe (ou sous-arbrisseau) pérenne, H 0,80-1,50 m, couverte de poils étoilés, souvent ramifiée dès la base. Tiges et branches brun sombre. F. simples, alternes, losangiques ou presque arrondies, angulées ou à 3 lobes, L 3-15 cm. Base arrondie ou tronquée. Bord denté. Pétiole L 2-5 cm. Stipules linéaires, L 5-6 mm. Fleurs en fascicules axillaires, sur des rameaux terminaux à feuilles réduites, ± lancéolées et presque sessiles. Calice de 5 sépales ± rougeâtres, L 5-8 mm, "en cuiller" (cucullés), avec un petit appendice en haut du dos. Pétales 5, jaunes, courts, linéaires ou en spatule. Etamines ± 15, jaunes. Fruit : Petite capsule ronde, ∅ 3-5 mm, glabre mais hérissée de piquants crochus à barbes rétrorses.
L'espèce voisine *T. lappula* L. a 10 étamines, mais n'a pas de pétales.

Ecologie et biologie : Endroits assez ombragés, surtout sur sols ferrallitiques, à basse et moyenne altitude. Pluies > 1600 mm. Propagation par les fruits.
Principales cultures infestées : Racines, Canne, Jeunes bananeraies.

110

LAPORTEA AESTUANS (L.) Chew
Fam : URTICACEAE
Syn. : *Fleurya aestuans* (L.) Gaudich.

Vern. names : *Stinging nettle, Zootie, Scratch bush*
Noms vern. : *Zouti brilan, Zèb brilan, Ortie brûlante, Herbe brûlante*

Range / Aire : *Almost pantropical. All islands.* Presque pantropical. Toutes les îles.

An annual herb, H 0.30-0.80(-1.20) m ; stem simple or sparingly branched, rather stout, succulent, with stinging hairs. Lvs simple, alternate, membranous, thin, corrugated, ovate or almost rounded, L 7-20 cm × B 2.5-12 cm, with ± numerous stiff and stinging hairs. Margin coarsely and acutely toothed. Base rounded to almost cordate. Apex acute or pointed. Petiole L 1-12 cm. Stipules united between the base of the petiole and the stem. Flowers very small, in spreading, flattish panicles, not longer than the lvs. Fruits : small, compressed and tuberculate achenes, L 1-1.6 mm.

Ecology and biology : *Moist and shady waste places and in crops, mainly at medium to high elevations. Rainfall mostly > 1800 mm. Propagated by achenes.*
Main infested crops : *Established bananas, root crops.*

Herbe annuelle, H 0,30-0,80(-1,20) m, à tige simple ou peu ramifiée, assez grosse, succulente, à poils urticants. F. simples, alternes, membraneuses, fines, gaufrées, ovées ou presque arrondies, L 7-20 cm × 1 2,5-12 cm, à poils raides et urticants ± nombreux. Bord à dents grossières, aiguës. Base arrondie à presque cordée. Extrémité aiguë ou pointue. Pétiole L 1-12 cm. Stipules soudées, entre la base du pétiole et la tige. Fleurs très petites, en panicules étalées, planes, ne dépassant pas les feuilles. Fruits : petits akènes comprimés et tuberculés, L 1-1,6 mm.

Ecologie et biologie : Lieux abandonnés frais et ombragés, surtout à moyenne et haute altitude. Pluies en général > 1800 mm. Propagation par akènes.
Principales cultures infestées : Bananeraies adultes, Racines.

109

110

110

111

PHENAX SONNERATII (Poir.) Wedd.
Fam : URTICACEAE
Syn. : *Phenax vulgaris* Wedd.

Vern. names : *None known*
Noms vern. : *Zouti bata, Zouti savann, Ortie batârde, Ortie savane*

Range / Aire : *Native to tropical Asia. Guad, Dom, Mart, StL, Grd.* Originaire d'Asie tropicale. Guad, Dom, Mart, StL, Grd.

An annual herb, H 0.20-0.80(-1.20) m, hairy or glabrous. Lvs simple, alternate, spreading, ovate-lanceolate or ovate, membranous, thin, ± corrugated, L 2-10 cm × B 0.8-4 cm, crenate or serrate above the base, slightly ciliate. Apex pointed. Petiole L 12-45 mm, rather slender. Stipules linear, free, long tapering, L 3-5 mm. Flowers very small, in axillary, brownish or reddish glomerules, ∅ 3-5 mm, with many small, ovate, ciliate bracts. Fruits : small tuberculate achenes.

Ecology and biology : *Moist and shady places at medium to high elevations, mainly on ferralic cambisols and andosols. Propagated by achenes.*
Main infested crops : *Bananas, root crops.*

Herbe annuelle, H 0,20-0,80(-1,20) m, poilue ou presque glabre. F. simples, alternes, étalées, ovées-lancéolées ou ovées, membraneuses, fines, ± gaufrées, L 2-10 cm × l 0,8-4 cm, crénelées ou dentées en scie au-dessus de la base, un peu ciliées. Extrémité pointue. Pétiole L 12-45 mm, assez grêle. Stipules linéaires, libres, longuement rétrécies, L 3-5 mm. Fleurs très petites, en glomérules axillaires brunâtres ou rougeâtres, ∅ 3-5 mm, à nombreuses petites bractées ovées, ciliées. Fruits : très petits akènes tuberculés.

Ecologie et biologie : Lieux frais et ombragés, en altitude moyenne à élevée, surtout sur sols ferrallitiques et andosols. Propagation par les akènes.
Principales cultures infestées : Bananeraies, Racines.

112

PILEA MICROPHYLLA (L.) Liebm.
Fam : URTICACEAE

Vern. names : *Baby puzzle, Baby's lace, Lace plant*
Noms vern. : *Tengn, Ti tengn, Ti tengn blan, Teigne, Petite teigne, Petite teigne blanche*

Range / Aire : *Tropical America. Now pantropical. All islands.* Amérique tropicale. Devenu pantropical. Toutes les îles.

A glabrous, pale green herb. Stems fragile, watery, L → 20 cm, freely branched, spreading, ascending, prostrate or pendant according to habitat. Lvs simple, opposite, small, distichous, crowded, those of a pair unequal, broadly obovate to oblanceolate or elliptic, 1-nerved, L 2-7 mm × B ± 1.5 mm. Base acute to attenuate. Apex acute to obtuse. Petiole slender, shorter than the blade. Flowers in very small greenish, axillary clusters. Fruits : achenes L 0.5 mm.

Ecology and biology : *Waste places and cultivated soils in many environments. Ecotypes probably occur. Propagated by achenes.*
Main infested crops : *All crops.*

Herbe glabre, vert clair. Tiges fragiles, aqueuses, L → 20 cm, très ramifiées, ascendantes, étalées, prostrées ou pendantes selon l'habitat. F. simples, opposées, petites, distiques, très serrées, celles d'une même paire inégales, largement obovées à oblancéolées ou elliptiques, à une seule nervure, L 2-7 mm × l ± 1,5 mm. Base aiguë ou atténuée. Extrémité aiguë à obtuse. Pétiole grêle, plus court que le limbe. Fleurs en très petits glomérules axillaires. Fruits : akènes L 0,5 mm.

Ecologie et biologie : Lieux abandonnés et sols cultivés, dans beaucoup de situations écologiques. Il existe apparemment des écotypes. Propagation par les akènes.
Principales cultures infestées : Toutes cultures.

111 ● 111 ●

112 ● 112 ●

113

CLERODENDRON INDICUM (L.) Ktze.

Fam : VERBENACEAE
Syn. : *Siphonanthus indicus* L.

Vern. names : *None known*

Noms vern. : *Montalèg, Montallègre, Zèb a lon kou, Herbe à long cou*

Range / Aire : *S.E. Asia. Naturalized in some islands.* Asie du S.E. Naturalisé dans certaines îles.

A tall erect herb, H 0.60-1.80 m, with a stout greyish stem, ∅ 10-15 mm, channelled and angled, hollow, often filled with a whitish liquid. Lvs simple, entire, whorled in 3's, or rarely opposite, elliptical-lanceolate, glabrous, L 8-16 cm × B 3-5 cm. base attenuate ; apex pointed. Petiole L 5-10 mm. Flowers in large, ± leafy, axillary and terminal panicles, with lanceolate or linear pointed bracts L 6-10 mm. Calyx violet or purple, L 10 mm, with 5 almost equal, ovate, pointed lobes. Cor. white, with a very long and slender, arching-drooping tube, L 6-12 cm, ending in a limb ∅ 18-22 mm, with 5 elliptical or ovate lobes. Fruit : a blackish-blue, shiny drupe, ∅ 8-11 mm, with 4 seeds.

Ecology and biology : *Waste places and banana fields at low elevations. Rainfall > 1800 mm. Propagated by seeds.*
Main infested crops : *Bananas.*

Grande herbe dressée, H 0,60-1,80 m, à grosse tige grisâtre, ∅ 10-15 mm, peu ramifiée, cannelée et angulée, creuse et souvent remplie d'un liquide blanchâtre. F. simples, entières, verticillées par 3 ou rarement opposées, elliptiques-lancéolées, glabres, L 8-16 cm × l 3-5 cm. Base rétrécie ; extrémité pointue. Pétiole L 5-10 mm. Fleurs en grandes panicules ± feuillues, axillaires et terminales, avec des bractées lancéolées ou linéaires, pointues, L 6-10 mm. Calice violet ou pourpre, L 10 mm, à 5 lobes presque égaux, ovés, pointus. Cor. blanche, à tube très long et très fin, retombant, L 6-12 cm, terminé par un limbe ∅ 18-22 mm, à 5 lobes elliptiques ou ovés. Fruit : drupe bleu-noir, brillante, ∅ 8-11 mm, à 4 graines.

Ecologie et biologie : Lieux abandonnés et bananeraies à basse altitude. Pluies > 1800 mm. Propagation par graines.
Principales cultures infestées : Bananeraies.

114

CLERODENDRON PHILIPPINUM

Schauer in DC.
Fam : VERBENACEAE
Syn. : *Clerodendron fragrans* Vent. *var. pleniflorum Schau.*

Vern. names : *Rosalba, Lady Nugent's rose, Stinking bush*
Noms vern. : *Zèb a man Vilarèt, Zépyant, Herbe à Madame Villaret, Herbe puante*

Range / Aire : *China and Philippines. Now pantropical. Almost all islands.* Chine et Philippines. Devenu pantropical. Presque toutes les îles.

Undershrub H 0.70-1.80 m, with an unpleasant smell ; stem stout, grey, erect, wrinkled. Branches finely hairy. Lvs simple, opposite and decussate and crowded, or in terminal pseudo-whorls, ovate or ovate-diamond-shaped, almost triangular, with glandular hairs on both surfaces, L 6-25 cm × B 5-20 cm. Base ± cordate or truncate. Apex pointed. Margin coarsely sinuate and toothed, ciliate. Upper surface dark green, the lower whitish. Petiole L 5-18 mm, hairy. Flowers fragrant, in terminal compact groups (corymb-like cymes) ∅ 8-20 cm. Calyx funnel-shaped, L 12-15 mm, with 5 lanceolate, acute or pointed, reddish teeth. Cor. white or rosy, of many petals, ∅ 15-25 mm. Fruit a drupe with 4 kernels, but rarely (if ever) seen in the Eastern Caribbean.

Ecology and biology : *Waste places, banana fields and orchards on ferralic cambisols. Rainfall > 2000 mm. Propagated by underground stems.*
Main infested crops : *Bananas, orchards.*

Sous-arbrisseau H 0,70-1,80 m, d'odeur désagréable, à grosse tige grise, dressée, ridée. Branches finement poilues. F. simples, opposées-décussées et rapprochées, ou en pseudo-verticilles terminaux, ovées ou ovées-losangiques, presque triangulaires, à poils glanduleux sur les deux faces, L 6-25 cm × l 5-20 cm. Base ± cordée ou tronquée. Extrémité pointue. Bord grossièrement sinué-denté, cilié. Face supérieure vert foncé, l'inférieure blanchâtre. Pétiole L 5-18 cm, poilu. Fleurs odorantes en groupes compacts (cymes corymbiformes), terminaux, ∅ 8-20 cm. Calice en entonnoir, L 12-15 mm, à 5 dents lancéolées, aiguës ou pointues, rougeâtres. Cor. blanche ou rosée, ∅ 15-25 mm. Pétales nombreux. Fruit : drupe à 4 noyaux, presque jamais observée aux Petites Antilles.

Ecologie et biologie : Lieux abandonnés, bananeraies et vergers sur sols ferrallitiques. Pluies > 2000 mm. Propagation par rhizomes.
Principales cultures infestées : Bananeraies, Vergers.

113 ○ 113 ●

114 ○ 114 ●

115

LANTANA CAMARA L.

Fam : VERBENACEAE

Syn. : *Numerous, because of many varieties.* Nombreux, en raison de nombreuses variétés.

Vern. names : *Sage, Yellow sage, White sage, Black sage, Red sage, Mal visou*
Noms vern. : *Mavizou, Milflè, Zèb a plon, Mavisou, Mille fleurs, Herbe à plomb*

Range / Aire : *Pantropical. All islands.* Toutes les îles.

A very variable species. Sweet-scented shrub or subshrub H 0.5-1.5(-3.5) m, much branched. Branches ± conspicuously 4-angled, and ± spiny, stiff or sometimes climbing. Lvs simple, opposite, often decussate, rough, ± corrugated, very variable in shape, L 3-6 cm × B 1-4 cm. Margin serrate. Petiole L 5-15 mm, ± spiny. Flowers in 12-30's on mostly terminal heads ∅ 15-30 mm. Peduncle L 1-6 cm. Bracts narrow, L 2-6 mm. Calyx membranous, L 2-5 mm. Cor. with a narrow, cylindrical tube L 6-12 mm ; limb spreading, with 5 shallow lobes, ∅ 4-7 mm, variable in colours (often mauve, and yellow around the throat in the weedy forms, or sometimes orange or brick-red)). Fruit a purplish-black, shiny drupe ∅ 3-5 mm.
Many forms are grown as ornamental plants.

Ecology and biology : *Waste places and cultivated soils in many environments. Propagated by seeds.*
Main infested crops : *All crops, and pastures.*

Espèce très variable. Arbrisseau ou petit arbuste aromatique, H 0,5-1,5(-3,5) m, très ramifié. Branches à 4 angles ± nets, et ± épineuses, rigides ou parfois grimpantes. F. simples, opposées, souvent décussées, rèches, ± gaufrées, de forme très variable, L 3-6 cm × l 1-4 cm. Bord denté en scie. Pétiole L 5-15 mm, ± épineux. Fleurs en capitules de 12 à 30, surtout terminaux, ∅ 15-30 mm. Pédoncule L 1-6 cm. Bractées étroites, L 2-6 mm. Calice membraneux, L 2-5 mm. Cor. à tube cylindrique étroit, L 6-12 mm ; limbe étalé, à 5 lobes courts, ∅ 4-7 mm, de couleurs très variées (souvent mauve à centre jaune dans les formes sauvages, parfois orange et rouge-brique). Fruit : drupe noir-violacé, brillante, ∅ 3-5 mm.
Beaucoup de formes sont cultivées comme ornementales.

Ecologie et biologie : Lieux abandonnés et sols cultivés, dans beaucoup de situations écologiques. Propagation par graines.
Principales cultures infestées : Toutes cultures, savanes, pâturages.

116

PRIVA LAPPULACEA (L.) Pers.

Fam : VERBENACEAE

Vern. names : *Clammy bur, Fasten-on-coat, Styptic bur, Velvet bur*
Noms vern. : *Kolan, Jandam, Géri tout, Zèb a lanjin, Collant, Gendarme, Guérit tout, Herbe à l'angine*

Range / Aire : *Tropical America. All islands.* Amérique tropicale. Toutes les îles.

An erect or diffuse, ascending herb, H 20-70 cm, with a taproot. Stem simple or sparingly branched, or sometimes branched from the base. Branches glaucous, striated, hollow, 4-angled, with short spreading white hairs. Lvs simple, opposite, flaccid, hairy, ovate or ovate-lanceolate, L 1.5-8(-10) cm × B 0.9-6.5(-9) cm. Base truncate ; apex pointed. Margin serrate. Petiole L 8-30 mm. Flowers ± spaced along slender, elongated, often arching or spreading, axillary and terminal spikes, L 5-21 cm. Pedicels and bracts L 2-3 mm. Calyx bell-shaped, downy, 5-toothed, swollen at base, L 3-4 mm × ∅ ≈ 2 mm. Cor. saucer-shaped, 5-lobed, ∅ ≈ 4 mm, lilac or mauve, with a tube L 5-8 mm. Fruit dry, enclosed in the enlarged, inflated, sticky hairy calyx.

Ecology and biology : *Waste places and cultivated soils in many environments. Propagated by seeds.*
Main infested crops : *All crops.*

Herbe dressée ou diffuse-ascendante, H 20-70 cm, à racine pivotante. Tige simple ou peu branchue, ou parfois ramifiée dès la base. Branches glauques, striées, creuses, à 4 angles, et à poils blancs courts et étalés. F. simples, opposées, flasques, poilues, ovées ou ovées-lancéolées, L 1,5-8(-10) cm × l 0,9-6,5(-9) cm. Base tronquée ; extrémité pointue. Bord denté en scie. Pétiole L 8-30 mm. Fleurs ± espacées sur des épis grêles allongés, souvent arqués ou étalés, axillaires et terminaux, L 5-21 cm. Pédicelles et bractées L 2-3 mm. Calice en cloche, duveté, à 5 dents, renflé à la base, L 3-4 mm × ∅ ≈ 2 mm. Cor. L 5-8 mm à limbe en coupe à 5 lobes, ∅ ≈ 4 mm, lilas ou mauve. Fruit sec, inclus dans le calice agrandi et enflé, couvert de poils collants.

Ecologie et biologie : Lieux abandonnés et sols cultivés, dans beaucoup de situations écologiques. Propagation par graines.
Principales cultures infestées : Toutes cultures.

115 ●

115 ●

116 ●

116 ●

117

STACHYTARPHETA CAYENNENSIS
(L.C. Rich.) Vahl
Fam : VERBENACEAE

Vern. names : *Vervain, Verbain, Vervine, Spike top*

Noms vern. : *Vèrvèn, Ké a rat, Vèrvèn ké a rat, Verveine, Queue de rat, Verveine queue de rat*

Range / Aire : *Tropical America. Now almost pantropical. All islands, except (?) StM.* Amérique tropicale. Devenu presque pantropical. Toutes les îles, sauf (?) StM.

Subshrub H 30-90(-180) cm, with a long taproot. Stem much branched. Branches twisted, ascending, horizontal or drooping, grey or black, glabrous or ± hairy. Lvs simple, opposite, decussate, corrugated, rather thick, ovate or elliptical, L 2-6 cm. Nerves often hairy and tinged with purple beneath. Margin coarsely serrate. Base cuneate, decurrent on the petiole. Apex rounded. Flowers sessile, in long, mostly terminal, often distorted spikes, with a stiff rachis ∅ 3-4 mm. Calyx flattened, L 4-7 mm. Cor. lilac or almost white, with a bent tube L 4-5 mm. Limb ∅ 4-6 mm. Fruits dry, L 3-4 mm, enclosed in the persistent calyces, these appressed in furrows as broad as the rachis.

Ecology and biology : *Waste places and cultivated soils in many environments. Propagated by seeds.*

Main infested crops : *Vegetables, root crops, young banana fields.*

Sous-arbrisseau H 30-90(-180) cm, à longue racine pivotante. Tige très ramifiée. Branches tortueuses, ascendantes, horizontales ou ± penchées, grises ou noires, glabres ou ± poilues. F. simples, opposées-décussées, gaufrées, assez épaisses, ovées ou elliptiques, L 2-6 cm. Nervures souvent poilues et teintées de pourpre en dessous. Bord grossièrement denté en scie. Base en coin, prolongée sur le pétiole. Extrémité arrondie. Fleurs sessiles, en épis allongés, surtout terminaux, souvent tordus, à rachis rigide ∅ 3-4 mm. Calice aplati, L 4-7 mm. Cor. lilas ou presque blanche, à tube arqué, L 4-5 mm ; limbe ∅ 4-6 mm. Fruits secs L 3-4 mm, inclus dans les calices persistants, appliqués dans des alvéoles de la largeur du rachis.

Ecologie et biologie : Lieux abandonnés et sols cultivés, dans beaucoup de situations écologiques. Propagation par graines.

Principales cultures infestées : Maraîchage, Racines, Jeunes bananeraies.

118

STACHYTARPHETA JAMAICENSIS
(L.) Vahl
Fam : VERBENACEAE

Vern. names : *Vervain, Verbain, Vervine, Blue top, Bright eye(s), False vervain, Vengveng, Vènvèn blé, Worwine*

Noms vern. : *Vèrvèn, Ké a rat, Vèrvèn ké a rat, Verveine, Queue de rat, Verveine queue de rat*

Range / Aire : *Almost pantropical. All islands.* Presque pantropical. Toutes les îles.

Closely resembles the preceding species. May be distinguished on the basis of the following characters : Herb (sometimes somewhat woody at base), almost glabrous. Branches ascending, green, purple or almost black. Lvs often larger than in S. cayennensis, *L 3-9 cm. Spikes L 15-35 cm, straight or ± bent, erect or ascending. Rachis ∅ 4-6 mm. Cor. blue to purplish-blue (sometimes white in some cultivated forms), with a tube L 7-10 mm. Limb ∅ 6-8 mm. Furrows narrower than the rachis (compare with* S. cayennensis*).*

Ecology and biology : *Waste places and cultivated soils in many environments. Propagated by seeds.*

Main infested crops : *Vegetables, rootcrops, young banana fields.*

Ressemble beaucoup à l'espèce précédente. S'en distingue surtout par les caractères suivants : Herbe (parfois un peu ligneuse à la base). Branches ascendantes, vertes, pourpres, ou presque noires. F. souvent plus grandes que chez *S. cayennensis,* L 4-9 cm. Epis L 15-35 cm, droits ou ± incurvés, dressés ou ascendants. Rachis ∅ 4-6 mm. Cor. bleue à bleu-violacé (parfois blanche dans certaines formes cultivées), à tube L 7-10 mm ; limbe ∅ 6-8 mm. Alvéoles plus étroites que le rachis (comparer avec *S. cayennensis*).

Ecologie et biologie : Lieux abandonnés et sols cultivés, dans beaucoup de situations écologiques. Propagation par graines.

Principales cultures infestées : Maraîchage, Racines, Jeunes bananeraies.

119

KALLSTRŒMIA MAXIMA
(L.) Torr. & Gray
KALLSTRŒMIA PUBESCENS
(G. Don) Dandy
Fam : ZYGOPHYLLACEAE

Vern. names : *Police macca*

Noms vern. : *Krèson kouwan, Poupyé bata, Koupyé bata, Cresson courant, Pourpier bâtard*

Range / Aire : *Tropical America. All islands.* Amérique tropicale. Toutes les îles.

Two species closely related. Annual herbs with slender, prostrate, radiating, ± hairy stems L 15-55 cm. Lvs opposite, even-pinnate, L 1-7 cm × B 12-30 mm. Petiole short. Leaflets 2-4 pairs, hairy, oblong, ± falcate (specially the terminal ones), L 5-25 mm. Base rounded or almost cordate. Apex obtuse or rounded. margin ciliate. Stipules linear-lanceolate (K. maxima) *or sickle-shaped* (K. pubescens), *ciliate, L 2-5 mm. Flowers solitary, axillary. Peduncle L 12-40 mm. Sepals 5-6, lanceolate, pointed, hairy, ciliate, persistent. Petals 4-6, yellow, obovate, L 6-8 mm. Fruit dry, conical, glabrous* (K. maxima) *or with stiff hairs* (K. pubescens), *with a conical beak as long as the body (4-5 mm) ; body made up of 8-12 carpids.*

Ecology and biology : *Mainly rendzinas and calcic phaeozems, sometimes chromic vertisols. Rainfall < 1600 mm. Propagated by the dry carpids.*

Main infested crops : *Vegetables, root crops, sugarcane.*

Deux espèces très voisines. Herbe annuelle, à tiges grêles, couchées, radiantes, L 15-55 cm, ± poilues. F. opposées, paripennées, L 1-7 cm × l 12-30 mm. Pétiole court. Folioles 2-4 paires, oblongues, ± en faucille (surtout les terminales), poilues, L 5-25 mm. Base arrondie à presque cordée. Extrémité obtuse ou arrondie. Bord cilié. Stipules lancéolées *(K. maxima)* ou en faucille *(K. pubescens)*, ciliées, L 2-5 mm. Fleurs solitaires, axillaires. Pédoncule L 12-40 mm. Sépales 5-6, lancéolés, pointus, poilus, ciliés, persistants. Pétales 4-6, jaunes, obovés, L 6-8 mm. Fruit sec, conique, glabre *(K. maxima)* ou à poils raides *(K. pubescens)*, à bec conique de même longueur que le corps (4-5 mm) ; corps composé de 8-12 méricarpes.

Ecologie et biologie : Surtout sur rendzines et sols calciques mélanisés, parfois sur vertisols. Pluies < 1600 mm. Propagation par les méricarpes secs.

Principales cultures infestées : Maraîchage, Racines, Canne.

120

TRIBULUS CISTOIDES L.

Fam : ZYGOPHYLLACEAE

Vern. names : *Kill bukra, Kingston buttercup, Turkey blossom, Carpet weed, Burnut, Jamaica buttercup, Puncture vine*

Noms vern. : *Zèb solèy, Poupyé, Poupyé bòlanmè, Herbe soleil, Pourpier, Pourpier bord de mer, Herse*

Range / Aire : *Pantropical. All islands (± frequent), except StL, StV, Barb.* Toutes les îles (± fréquent), sauf StL, StV, Barb.

A perennial, diffuse or prostrate herb. Stems hairy (ageing glabrous), L 30-100 cm. Lvs alternate (some of them opposite), even-pinnate, L 1-5 cm. Leaflets 6-8 pairs, obliquely oblong or elliptical, L 4-15 mm. Apex acute or obtuse. Lower surface silky hairy. Stipules ovate-lanceolate, hairy, L 5-8 mm. Flowers solitary, axillary. Peduncle L 10-50 mm. Sepals 5, lanceolate, L ≈ 10 mm, persistent. Petals 5, yellow, L ≈ 20 mm. Fruit dry, 5-angled, made up of 5 carpids, each with 2 stout diverging prickles.

Ecology and biology : *Mainly rendzinas and calcic phaeozems, sometimes chromic vertisols. Rainfall < 1600 mm. Propagated by the dry carpids.*

Main infested crops : *Vegetables, root crops, sugarcane.*

Herbe pérenne, diffuse ou prostrée. Tiges poilues (devenant glabres), L 30-100 cm. F. alternes (certaines opposées), paripennées, L 1-5 cm. Folioles 6-8 paires, obliquement oblongues ou elliptiques, L 4-15 mm. Extrémité aiguë ou obtuse. Face inférieure à poils soyeux. Stipules ovées-lancéolées, poilues, L 5-8 mm. Fleurs solitaires, axillaires. Pédoncule L 10-50 mm. Sépales 5, lancéolés, L ≈ 10 mm, persistants. Pétales 5, jaunes, L ≈ 20 mm. Fruit sec, à 5 angles, composé de 5 méricarpes, chacun portant 2 grosses épines divergentes.

Ecologie et biologie : Surtout sur rendzines et sols calciques mélanisés, parfois sur vertisols. Pluies < 1600 mm. Propagation par les méricarpes secs.

Principales cultures infestées : Maraîchage, Racines, Canne.

119

119

120

119

120

Sedges Grasses Ferns
Cypéracées Graminées Fougères

○ clichés J. Fournet ● clichés J. L. Hammerton

121

CYPERUS ROTUNDUS L.
Fam : CYPERACEAE

Vern. names : *Nutgrass, Nutsedge, Purple nutgrass, Purple nutsedge*
Noms vern. : *Ti venson, Koko chat, Ti koko, Chyen kòk, Petit Vincent, Coco (a) chat, Petit coco, Chiencoq*

Range / Aire : *Pantropical.*

A perennial herb, H 10-50(-80) cm, with thin rhizomes bearing tubers in series. Tubers pointed at both ends, scaly, blackish, L → 2.5 cm. Each tuber produces a single leafy, erect stem, with 3 rounded angles, ∅ 1-4 mm, bulbous at the base. Lvs apparently in whorls of 3's, spreading, almost basal, L 10-25(-50) cm × B 4-8 mm ; margin scabrous. Flowers in a terminal umbel of racemes, with 3-9 ascending rays L 3-15(-30) cm, subtended by 2-5 shorter leafy bracts. Spikelets crowded toward the ends of the rays, L 5-20(-40) mm × B 1.5-2 mm, flattened, reddish, with 5-40 flowers. Glumes distichous, carinate. Style 3-branched. Fruits : 3-angled achenes, L 1.5-2 mm × B ≈ 1 mm, but these generally sterile and empty in the Caribbean.

Ecology and biology : *Open fields, specially on level, deep, well drained soils, at low to middle elevations. Probably propagated solely by tubers.*
Main infested crops : *All crops, except established bananas.*

Herbe pérenne, H 10-50(-80) cm, à rhizomes fins et à tubercules en chapelet, pointus aux deux bouts, écailleux, noirâtres, L → 2,5 cm. Chaque tubercule produit une seule tige feuillée, verticale, à 3 angles arrondis, ∅ 1-4 mm, bulbeuse à la base. F. tristiques, étalées, presque basales, L 10-50 cm × l 4-8 mm, à bord scabre. Fleurs en ombelle terminale d'épis, de 3-9 rayons ascendants, L 3-15(-30) cm, soutenue par 2-5 bractées foliacées plus courtes. Epillets groupés vers les extrémités des rayons, L 5-20(-40) mm × l 1,5 2 mm, aplatis, rougeâtres, de 5-40 fleurs. Glumes distiques, carénées. Style trifide. Fruits : akènes à 3 angles, L 1,5-2 mm × l ≈ 1 mm, en général stériles et vides aux Antilles..

Ecologie et biologie : Cultures ouvertes, surtout sur sols plats, profonds, bien drainés, à basse et moyenne altitude. Propagation sans doute seulement par tubercules.
Principales cultures infestées : Toutes cultures, sauf Bananeraies adultes.

122

SCLERIA PTEROTA C. Presl
Fam : CYPERACEAE
Syn. : *Scleria melaleuca* Reichenb. ex Cham. & Schlecht.

Vern. names : *Razor grass*

Noms vern. : *Zèb kouto, Zèb razwa, Herbe couteau, Herbe rasoir*

Range / Aire : *Tropical America. Antilles. Probably all islands.* Amérique tropicale. Antilles. Sans doute toutes les îles.

A perennial erect herb, H 30-120 cm, with stout rhizomes. Stem 3-angled. Lvs L 15-50 cm × B 6-12 mm, apparently in whorls of 3's ; sheath 3-winged ; ligule hairy, L 2-10 mm. Flowers monoecious, in 2-4 terminal and axillary, rather narrow, brownish green or brownish purple panicles, L 5-20 cm. Female spikelets 1-flowered, supported on a 3-lobed disc. Achenes globose, hard, ∅ ≈ 2 mm, white, brownish or almost black, looking like small porcelain beads.

Ecology and biology : *Pastures and crops, mainly on ferralic cambisols. Rainfall > 1600 mm. Propagated by achenes.*
Main infested crops : *Vegetables, root crops.*

Herbe pérenne dressée, H 30-75 cm, à gros rhizomes. Tige à 3 angles. F. tristiques, L 15-50 cm × l 6-12 mm ; gaine à 3 ailes ; ligule poilue, L ≈ 2-10 mm. Fleurs monoïques, en 2-4 panicules terminales et axillaires, assez étroites, brun-vert ou brun-pourpre, L 5-40 cm. Epillets femelles à une seule fleur, portée sur un disque à 3 lobes. Akènes globuleux, durs, ∅ ≈ 2 mm, blancs, brunâtres ou presque noirs, ressemblant à de petites perles de porcelaine.

Ecologie et biologie : Prairies et cultures, surtout sur sols ferrallitiques. Pluies > 1600 mm. Propagation par achènes.
Principales cultures infestées : Maraîchage, Racines.

121 ●

121 ●

121 ●

122 ●

122 ●

123

BRACHIARIA ERUCAEFORMIS

(J. E. Smith) Griseb.
Fam : POACEAE

Vern. names : *None known*

Noms vern. : *Aucun connu*

Range / Aire : *Old World tropics. Introduced. Antg, Guad, Barb.* Tropiques de l'Ancien Monde. Introduit. Antg, Guad, Barb.

Delicate annual, tufted grass, with thread-like culms, these decumbant or spreading, branched, rooting at base. Flowering culms erect, H 15-60 cm. Leaf sheaths hispid. Lvs. flat, thin, slightly hairy or glabrous, L 2-6 cm × B 3-6 mm. Spikes 6-12, L 5-25 mm, erect and appressed against the main axis, forming a narrow inflorescence L 5-8 cm. Spikelets imbricated, villose, L 2-2.5 mm.

Ecology and biology : *Open fields on chromic vertisols. Rainfall < 1700 mm. Propagated by seeds.*

Main infested crops : *Sugarcane, vegetables.*

Herbe annuelle délicate, en touffes, à chaumes filiformes, couchés ou étalés, ramifiés, émettant des racines à la base. Tiges florales érigées, H 15-60 cm. Gaines foliaires hispides. F. planes, fines, un peu poilues ou glabres, L 2-6 cm × l 3-6 mm. Epis 6-12, L 5-25 mm, dressés et appliqués contre l'axe principal, formant une inflorescence étroite L 5-8 cm. Epillets imbriqués, velus, L 2-2,5 mm.

Ecologie et biologie : Cultures ouvertes sur vertisols ; pluviométrie < 1700 mm. Propagation par graines.

Principales cultures infestées : Canne, Maraîchage.

124

BRACHIARIA FASCICULATA

(Sw.) S. T. Blake
Fam : POACEAE
Syn. : *Panicum fasciculatum* Sw.

Vern. names : *Birdseed grass, Browntop millet, Browntop panicum*

Noms vern. : *Zèb a diri, Herbe à riz*

Range / Aire : *Southern North America to Northern South America. All islands.* Du sud de l'Amérique du Nord au nord de l'Amérique du Sud. Sans doute toutes les îles.

An annual or short-lived perennial grass. Tufts spreading or ascending. Culms L 0.30-1 m, often rooting at base. Sheaths sometimes hairy or hispid. Ligule hairy, membranous at base, L ≈ 1 mm. Lvs flat, glabrous or slightly hairy, L → 30 cm × B 6-20 mm. Panicles L 5-20 cm, with raceme-like, ascending branches. Spikelets yellowish brown or gold-coloured, L 2-2.8 mm, glabrous, with conspicuously crumpled "glumes" (lens necessary).

Ecology and biology : *Waste places and cultivated soils in many environments at low to middle elevations. Propagated by seeds.*

Main infested crops : *All crops, except established bananas.*

Herbe annuelle ou brièvement pérenne en touffes étalées ou ascendantes. Chaumes L 0,30-1 m, émettant souvent des racines à la base. Gaines parfois poilues ou hispides. Ligule de poils, membraneuse à la base, L ≈ 1 mm. F. planes, glabres ou un peu poilues, L → 30 cm × l 6-20 mm. Panicules L 5-20 cm, portant des branches racémiformes ascendantes. Epillets brun-jaunâtre à dorés, L 2-2,8 mm, glabres, à glumes nettement "chiffonnées" (loupe nécessaire).

Ecologie et biologie : Lieux abandonnés et sols cultivés, dans beaucoup de situations écologiques à basse et moyenne altitude. Propagation par graines.

Principales cultures infestées : Toutes cultures, sauf Bananeraies adultes.

123

124

124

125

BRACHIARIA PURPURASCENS
(Raddi) Henr.
Fam : POACEAE
Syn. : *Panicum purpurascens* Raddi

Vern. names : *Para grass*
Noms vern. : *Para, Zèb para, Herbe de Para*

Range / Aire : *Tropical America. Introduced in the Old World tropics. Almost all islands.* Amérique tropicale. Introduit dans les tropiques de l'Ancien Monde. Presque toutes les îles.

A perennial grass with thick, decumbent culms L → 5 m, producing ascending or erect secondary culms H 0.75-1.50 m. Nodes densely velvety or bearded. Sheaths ± hairy. Ligule membranous, fringed with hairs L 1 mm. Lvs L 12-35 cm × B 7-15 mm, often hirsute on the upper surface. Panicle L 12-20 mm, with 8-18 ascending branches L 2-9 cm, the lower ones often branched. Rachis and pedicels often ± hispid, with long silvery hairs. Spikelets glabrous, L 2.8-3.5 mm, in unequally pediceled pairs. Upper lemma and palea rugose. Not to be confused with Eriochloa polystachya.
Sometimes used as a forage species, usually on wet soils.

Ecology and biology : *Level, deep, humid soils. Propagated by seeds and stem cuttings.*
Main infested crops : *All crops, except established bananas.*

Herbe pérenne à gros chaumes couchés, L → 5 m, émettant de gros chaumes secondaires ascendants ou érigés, H 0,75-1,50 m. Noeuds densément veloutés ou barbus. Gaines ± poilues. Ligule membraneuse frangée de poils L 1 mm. F. L 12-35 cm × l 7-15 mm, souvent hirsutes à la face supérieure. Panicule L 12-20 cm, portant 8-18 branches ascendantes, L 2-9 cm, les inférieures souvent ramifiées. Axes de l'inflorescence et pédicelles souvent ± hispides, à longs poils argentés. Epillets glabres, L 2,8-3,5 mm, inégalement pédicellés par paires. Glumelles fertiles rugueuses. A ne pas confondre avec *Eriochloa polystachya.*
Parfois utilisé comme fourrage, en général sur les sols très humides.

Ecologie et biologie : Sols plats, profonds, humides. Propagation par graines et par fragments de tiges.
Principales cultures infestées : Toutes cultures, sauf Bananeraies adultes.

126

BRACHIARIA REPTANS
(L.) Gardn. & Hubb.
Fam : POACEAE
Syn. : *Panicum reptans* L.,
Panicum prostratum Lam.

Vern. names : *None known*
Noms vern. : *Aucun connu*

Range / Aire : *Pantropical. All islands.* Toutes îles.

Mat-forming annual grass, rooting at the lower nodes. Flowering branches ascending or erect, H 10-40 cm, glabrous, or the nodes hairy. Sheaths with a fringe of hairs on margins. Ligule a minute, fringed membrane, with hairs L 0.5-1 mm. Lvs lanceolate or ovate-lanceolate, ciliate and subcordate at base, L → 6 cm × B 4-12 mm, with puckered or undulate margins. Panicle L 1.5-6 cm, long peduncled when ripe, with 5-12 spreading or ascending spike-like branches, L 1-3(-7) cm. Spikelets glabrous, elliptical, L 1.8-2 mm. First glume very short. Fertile lemma and palea finely transverse-rugose.

Ecology and biology : *Waste places and cultivated soils in many environments. Rainfall < 1700 mm. Propagated by seeds.*
Main infested crops : *Sugarcane, vegetables, root crops.*

Herbe gazonnante annuelle, émettant des racines aux noeuds inférieurs. Branches florales ascendantes ou érigées, H 10-40 cm, glabres, ou poilues aux noeuds. Gaines ciliées sur les marges. Ligule membraneuse frangée, à poils L 0,5-1 mm. F. lancéolées ou ovées-lancéolées, ciliées et subcordées à la base, L → 6 cm × l 4-12 mm, à bords crêpus ou ondulés. Panicule L 1,5-6 cm, longuement pédonculée à maturité, de 5-12 branches étalées ou ascendantes, ressemblant à des épis, L 1-3(-7) cm. Epillets glabres, elliptiques, L 1,8-2 mm. Première glume très courte. Glumelles fertiles à fines rides transversales.

Ecologie et biologie : Lieux abandonnés et sols cultivés, dans beaucoup de situations écologiques. Pluies < 1700 mm. Propagation par graines.
Principales cultures infestées : Canne, Maraîchage, Racines.

125 ●

125 ●

126 ●

126 ●

126 ●

127

CENCHRUS ECHINATUS L.
Fam : POACEAE

Vern. names : *Bur grass*
Noms vern. : *Zèb rid, Zèb kolan, Zèb pikan, Herbe rude, Herbe collante, Herbe piquante*

Range / Aire : *Southern US, Central America, Antilles. Introduced in the Pacific and in Australia. All islands.* Sud des EU, Amérique centrale, Antilles. Introduit dans le Pacifique et en Australie. Toutes les îles.

An annual, tufted grass, spreading at base and erect above, H 30-60 cm. Lvs linear, flat, glabrous or hairy, L 6-25 cm × B 3-8(-11) mm. Spike stiff, erect, L 2-10 cm × ∅ 11-22 mm, the spikelets enclosed in 2-3's in hard, spiny burrs L 5-10 mm × ∅ 3.5-6 mm, each subtended by a fringe of stiff hairs. Tips of some of the spines tinged with purple.

Ecology and biology : *Waste places and cultivated soils in many environments. Propagated by the spiny burrs.*
Main infested crops : *Sugarcane, vegetables, root crops, and lawns.*

Herbe annuelle en touffes étalées à la base, puis dressées, H 30-60 cm. F. linéaires, plates, glabres ou poilues, L 6-25 cm × l 3-8(-11) mm. Epi raide, dressé, L 2-10 cm × ∅ 11-22 mm, les épillets par 2-3 dans des involucres durs et épineux L 5-10 mm × ∅ 3,5-6 mm, chacun soutenu par une frange de poils raides. Sommet de certaines épines teinté de pourpre.

Ecologie et biologie : Lieux abandonnés et sols cultivés, dans beaucoup de situations écologiques. Propagation par les involucres épineux.
Principales cultures infestées : Canne, Maraîchage, Racines, et Pelouses.

128

CHLORIS INFLATA Link
Fam : POACEAE
Syn. : *Chloris barbata* auct.

Vern. names : *Purple top*
Noms vern. : *Ti pyé poul, Zèb a bab, Petit pied de poule, Herbe à barbe*

Range / Aire : *Pantropical. All islands.* Toutes les îles.

An annual tufted grass, rooting at the lower nodes, H ± 40 cm. Sheaths glabrous, flattened and keeled. Ligule shortly pilose. Lvs conspicuously distichous, L 6-20 mm × B 3-6 mm, glabrous (sometimes except at base). Inflorescences with 7-15 digitate, flexible and ± flexuous, ± purple-coloured spikes, L 4-6 cm. Spikelets sessile, unilateral ; lower floret perfect, with a straight awn L 4-8 mm, the upper ones sterile and reduced to a truncate rudiment with an awn L 1-1.5 mm.

Ecology and biology : *Waste places and cultivated soils in many environments. Propagated by seeds.*
Main infested crops : *All crops, except established bananas.*

Herbe annuelle en touffes, émettant des racines aux noeuds inférieurs, H ± 40 cm. Gaines glabres, aplaties et carénées. Ligule de poils courts. F. nettement distiques, L 6-20 cm × l 3-6 mm, glabres (sauf parfois à la base). Inflorescences de 7-15 épis digités, souples et ± flexueux, ± pourpres, L 4-6 cm. Epillets sessiles unilatéraux ; fleur inférieure parfaite, portant une arête droite L 4-8 mm, les fleurs supérieures stériles et réduites à un rudiment tronqué, portant une arête L 1-1,5 mm.

Ecologie et biologie : Lieux abandonnés et sols cultivés, dans beaucoup de situations écologiques. Propagation par graines.
Principales cultures infestées : Toutes cultures, sauf Bananeraies adultes.

127 ● 127 ●

128 ●

128 ●

129

CYMBOPOGON CITRATUS
(DC. ex Nees) Stapf
Fam : POACEAE
Syn. : *Cymbopogon nardus* (L.) Rendle emend. Roberty, *subvar. citratus* Roberty

Vern. names : *Lemon grass, Citronella grass, Mulch (grass), Fever grass*
Noms vern. : *Sitwonnèl, Citronnelle*

Range / Aire : *Old World tropics. Introduced and cultivated. A weed in Dom, StL, StV.* Tropiques de l'Ancien Monde. Introduit et cultivé. Mauvaise herbe en Dom, StL, StV.

A large, perennial, tufted, lemon-scented grass H 0.50-1.25 m (flowering culms excluded). Culms thick, erect. Sheaths slightly flattened, ± waxy. Ligule a fringed membrane L → 4 mm. Lvs arching-drooping, L → 1 m × B 5-15 mm, with a yellowish midrib. Flowering portion of the culm L 25-60 cm, with widely spaced branches, these erect, appressed, spreading at tips, L → 20 cm. Rachis nodes and pedicels conspicuously ciliate. Spikelets L 4-4.5 mm, in small 2-branched elementary panicles with sheathing bracteoles. Sessile spikelets with a twisted, bent awn L 7-10 mm. Probably only those forms producing abundant fertile seeds can infest large areas, as in Dominica.

Ecology and biology : *Ferralic cambisols. Rainfall > 1800 mm. Propagated by seeds and parts of the tufts.*
Main infested crops : *Pastures, and orchards.*

Herbe pérenne à odeur de citron, en grosses touffes H 0,50-1,25 m (sans les chaumes fleuris). Chaumes gros, dressés. Gaines un peu aplaties, ± cireuses. Ligule membraneuse frangée L → 4 mm. F. arquées-retombantes, L → 1 m × l 5-15 mm, à nervure centrale jaunâtre. Partie fleurie du chaume L 25-60 cm, à branches largement espacées, dressées et appliquées, étalées au sommet, L → 20 cm. Noeuds du rachis et pédicelles nettement ciliés. Epillets L 4-4,5 mm, en petites panicules à deux branches soutenues par des spathéoles engainantes. Epillets sessiles portant chacun une arête tordue et géniculée L 7-10 mm. Seuls les formes qui fleurissent abondamment et régulièrement peuvent envahir de larges zones, comme c'est le cas à la Dominique.

Ecologie et biologie : Sols ferrallitiques. Pluies > 1800 mm. Propagation par graines et par éclats de touffes.
Principales cultures infestées : Pâturages, Vergers.

130

CYNODON DACTYLON (L.) Pers.

Fam : POACEAE

Vern. names : *Bermuda grass, Bahama grass, Devil's grass, Star grass, Dog's tooth grass*
Noms vern. : *Chyendan, Ti chyendan, Chiendent, Petit chiendent*

Range / Aire : *Worldwide, except the coldest countries.* Dans le monde entier, sauf les pays les plus froids.

A perennial, extremely plastic grass with long, threadlike stolons and thick, branched rhizomes ; flowering culms H 10-60 cm. Ligule a fringe of hairs L 0.2-0.5 mm. Lvs conspicuously distichous, often subopposite, L 2-8(-14) cm × B 1.5-3(-4) mm, glabrous or finely villose. Spikes slender, digitate in (2-)3-5(-7)'s, L 2-6 cm. Spikelets unilateral, sessile, overlapping, L 2-2.5 mm.

Ecology and biology : *Waste places, pastures and cultivated soils in many environments. Propagated by seeds, rhizomes and stolons. Many ecotypes occur.*
Main infested crops : *All crops.*

Herbe pérenne très plastique, à longs stolons filiformes et à gros rhizomes ramifiés ; chaumes florifères H 10-60 cm. Gaines cylindriques, glabres. Ligule de poils courts L 0,2-0,5 mm. F. nettement distiques, souvent sub-opposées, L 2-8(-14) cm × l 1,5-3(-4) mm, glabres ou finement velues. Epis grêles, digités par (2-)3-5(-7), L 2-6 cm. Epillets unilatéraux, sessiles, imbriqués, L 2-2,5 mm.

Ecologie et biologie : Lieux abandonnés, prairies et sols labourés, dans beaucoup de situations écologiques. Propagation par graines, rhizomes et stolons . Il existe de nombreux écotypes.
Principales cultures infestées : Toutes cultures.

129 ●

129 ●

130 ● 130 ●

131

DICHANTHIUM ANNULATUM

(Forssk.) Stapf
Fam : POACEAE
Syn. : *Andropogon annulatus* Forssk.

Vern. names : *Finger grass*
Noms vern. : *Ti fwen, Petit foin*

Range / Aire : *Old World tropics. Introduced in tropical America. Guad, StL, and probably other islands.* Tropiques de l'Ancien monde. Introduit en Amérique tropicale. Guad, StL, et sans doute d'autres îles.

A perennial, diffuse grass, with long, stolon-like, decumbent culms. Secondary culms rather slender, H 10-100 cm. Nodes with hairs L 4-6 mm. Sheaths cylindrical, shorter than the internodes. Ligule a truncate membrane L 1-4 mm. Lvs L 6-25 cm × B 3-6 mm, glabrous or sparsely hispid. Spikes (1-)3-5(-8), digitate or nearly so, ± distichous, erect or spreading, ± tinged with purple-brown. Rachis and peduncles glabrous. Spikelets closely overlapping, appressed, L 4-5 mm, paired : the sessile spikelets much like the pediceled one, but with an awn L 6-15 mm. First glume broad and rounded, hairy at least on margins.

Ecology and biology : *Natural pastures (often the main species) and in crops on chromic vertisols, rendzinas, calcic soils. Mainly on calcareous substrates. Rainfall 1300-1800 mm.*

Main infested crops : *Sugarcane, vegetables, root crops.*

Herbe pérenne diffuse, à longs chaumes couchés ressemblant à des stolons. Chaumes secondaires assez grêles, H 10-100 cm. Noeuds à poils L 4-6 mm. Gaines cylindriques, plus courtes que les entre-noeuds. Ligule membraneuse tronquée, L 1-4 mm. F. L 6-25 cm × 1 3-6 mm, glabres ou un peu hispides. Epis (1-)3-5(-8), presque digités, ± distiques, dressés ou étalés, ± teintés de brun-pourpre. Rachis et pédoncules des épis glabres. Epillets très imbriqués, apprimés, L 4-5 mm, par paires : le sessile semblable au pédicellé, mais muni d'une arête L 6-15 mm. Première glume large, arrondie, poilue au moins sur les bords.

Ecologie et biologie : Savanes (souvent l'espèce dominante) et cultures sur vertisols, rendzines et sols calciques. Surtout sur substrat calcaire. Pluies 1300-1800 mm.

Principales cultures infestées : Canne, Maraîchage, Racines.

132

DICHANTHIUM ARISTATUM

(Poir.) C. E. Hubb.
Fam : POACEAE
Syn. : *Dichanthium nodosum* Willemet

Vern. names : *Finger grass*
Noms vern. : *Ti fwen, Petit foin*

Range / Aire : *Warmer regions of the Old World. Introduced in tropical America.* Régions chaudes de l'Ancien monde. Introduit en Amérique tropicale. Antg, Nev, Guad, StV, Grd, Grdn, Barb.

A grass closely related to the preceding species, with the same general habit. Culm nodes bearded by very short spreading hairs (⩽ 1 mm), or glabrous with age. Inflorescence axis and branches just below the basal spikelets finely pubescent (to be observed against the light on a dark background). Awns L 8-25 mm.

Ecology and biology : *Natural pastures (often the main species) and in crops on chromic vertisols, rendzinas, calcic soils. Mainly on calcareous substrates. Rainfall 1100-1400 mm.*

Main infested crops : *Sugarcane, vegetables, root crops.*

Herbe très voisine de l'espèce précédente, présentant le même aspect. Noeuds à poils étalés très courts (⩽ 1 mm), ou glabres avec l'âge. Axes et pédoncules sous les épillets de la base finement pubescents ou hispides (à observer en contre-jour sur fond sombre). Arêtes L 8-25 mm.

Ecologie et biologie : Savanes (souvent l'espèce dominante), et cultures sur vertisols, rendzines et sols calciques. Surtout sur roche-mère calcaire. Pluies 1100-1400 mm.

Principales cultures infestées : Canne, Maraîchage, Racines.

131 ● 131 ●

133

DIGITARIA BICORNIS (Lam.) R. & S.
DIGITARIA CILIARIS (Retz.) Koel.
Fam : POACEAE
Syn. : *Digitaria adscendens* Henr. *(D. ciliaris)*

Vern. names : *Finger grass, Crab grass*
Noms vern. : *Zèb fin, Herbe fine*

Range / Aire : *Pantropical.*

*Two species, very difficult to distinguish from each other. Annual (sometimes perennial), diffuse herbs, H 25-75 cm. Culms flexible, decumbent-spreading, ± branched and stoloniferous below. Ligule an entire membrane L 3-5 mm. Lvs L 8-25 cm × B 4-8 mm, sparsely hairy with long hairs arising from tubercules. Panicle with 2-12 spikes L 5-15 cm, in irregular whorls. Spikelets L (2.5-)2.8-3.5 mm, in pairs : one sessile or nearly so, the other pediceled. Fertile lemma not hard, glabrous or nearly so, with lateral nerves crowded near the margins (*D. ciliaris*) ; or (on pediceled spikelets) fringed with long silvery hairs, these spreading with age, and (on sessile spikelets) with equally spaced nerves (*D. bicornis*).*

Ecology and biology : *Waste places and cultivated soils in many environments. Propagated by seeds.*
Main infested crops : *All crops.*

Deux espèces très difficiles à distinguer l'une de l'autre. Herbes annuelles (parfois pérennes), diffuses, H 25-75 cm. Chaumes souples, couchés-étalés, ± ramifiés et stolonifères à la base. Ligule membraneuse, entière, L 3-5 mm. F. L 8-25 cm × l 4-8 mm, un peu poilues, par longs poils tuberculés à la base. Panicule de 2-12 épis L 5-15 cm, en verticilles irréguliers. Epillets L (2,5-)2,8-3,5 mm, par paires : l'un presque sessile, l'autre pédicellé. Glumelle fertile non indurée, glabre ou presque, à nervures latérales serrées vers les bords *(D. ciliaris)*, ou (sur les épillets pédicellés) bordée de longs poils argentés étalés à maturité, et (sur les épillets sessiles) à nervures équidistantes *(D. bicornis)*.

Ecologie et biologie : Lieux abandonnés et sols cultivés, dans beaucoup de situations écologiques. Propagation par graines.
Principales cultures infestées : Toutes cultures.

134

DIGITARIA HORIZONTALIS Willd.

Fam : POACEAE

Vern. names : *Finger grass, Crab grass*
Noms vern. : *Zèb fin, Herbe fine*

Range / Aire : *Pantropical*

An annual grass, with decumbent-spreading, stoloniferous culms below. Flowering culms erect or ascending, H 30-75 cm. Sheaths hispid with long spreading hairs. Ligule membranous L 1-1.5 mm. Lvs thin, rather flaccid, flat, membranous, L 8-30 cm × B 5-15 mm, finely hairy. Panicle with 5-15 very slender, ± arching-drooping spikes L 5-15 cm, at least the lower ones whorled in 3-6's. Spike rachis often with long, sparse, silvery hairs L 5-10 mm (observe against light on a dark background). Spikelets L 2-2.5 mm. Fertile lemma with 5 equidistant nerves, and sometimes soft hairs on the margins.

Ecology and biology : *Waste places and cultivated soils in many environments. Propagated by seeds.*
Main infested crops : *All crops.*

Herbe annuelle, à chaumes couchés-étalés et stolonifères à la base. Chaumes fleuris érigés ou ascendants, H 30-75 cm. Gaines hispides par longs poils étalés. Ligule membraneuse, L 1-1,5 mm. F. fines, assez flasques, plates, L 8-30 cm × l 5-15 mm, finement poilues. Panicule de 5-15 épis très grêles, ± arqués-retombants, L 5-15 cm, au moins les inférieurs en verticilles de 3-6. Rachis des épis portant souvent de longs poils argentés épars, L 5-10 mm (observer en contre-jour sur fond sombre). Epillets L 2-2,5 mm. Glumelle fertile à 5 nervures équidistantes, et portant parfois des poils souples sur les bords.

Ecologie et biologie : Lieux abandonnés et sols cultivés, dans beaucoup de situations écologiques. Propagation par graines.
Principales cultures infestées : Toutes cultures.

133 ●

133 ●

133 ●

135

DIGITARIA INSULARIS (L.) Mez
Fam : POACEAE
Syn. : *Trichachne insularis* (L.) Nees

Vern. names : *Sour grass, Bed grass, Long grass*
Noms vern. : *Zèb a blé, Herbe à blé*

Range / Aire : *Tropical America. All islands.* Amérique tropicale. Toutes les îles.

Tall perennial grass, in dense tufts H 0.60-1.50 m. Culms straight, erect, from a hard, knotty base. Lowermost sheaths densely hairy. Ligule membranous, L 2-3 mm. Lvs flat, glabrous, L → 25 mm × B 5-10 mm. Panicle contracted, dense, L 12-30 cm, with many spikes L 10-20 cm, the lower ones appressed along the main axis. Spikelets L 3.6-4.2 mm (excluding the hairs). Glume and sterile lemma with long, brownish-silvery, ascending hairs. Fertile lemma dark brown, lanceolate-acuminate.

Ecology and biology : *Waste places and cultivated soils in many environments. Often occurs after burning. Propagated by seeds.*

Main infested crops : *Sugarcane, root crops, vegetables.*

Grande herbe pérenne en touffes denses H 0,60-1,50 m. Chaumes droits, dressés, portés par une base dure et noueuse. Gaines inférieures à poils denses. Ligule membraneuse L 2-3 mm. F. plates, glabres, L → 25 cm × l 5-10 mm. Panicule contractée, dense, L 12-30 cm, de nombreux épis L 10-20 cm, les inférieurs appliqués contre l'axe principal. Epillets L 3,6-4,2 mm (sans les poils). Glume et glumelle stérile à longs poils brunâtres argentés ascendants. Glumelle fertile brun sombre, lancéolée-pointue.

Ecologie et biologie : Lieux abandonnés et sols cultivés, dans beaucoup de situations écologiques. Souvent sur brûlis. Propagation par graines.

Principales cultures infestées : Canne, Racines, Maraîchage.

136

ECHINOCHLOA COLONA (L.) Link
Fam : POACEAE
Syn. : « *Echinochloa colonum* »

Vern. names : *Jungle rice, Little barnyard grass*
Noms vern. : *Zèb a diri, Herbe à riz*

Range / Aire : *Pantropical.*

A semi-prostrate, but ascending, much branched annual grass, H → 40 cm. Leaf blade folded in the bud, L 15-20 cm × B ≈ 7 mm, entirely glabrous. Ligule absent, replaced by a raised, whitish, V-shaped line. Leaf sheaths sometimes reddish coloured. Panicle compact L 5-15 cm, with 3-6 rather thick, crowded racemes, each L 1-4 cm, usually red-purple, but a green form is sometimes found. Spikelets sessile, L ≈ 3 mm.

Ecology and biology : *Level, wet, deep soils. Indicates excess of water in the soil, at least during part of the year. Propagated by seeds, which are produced in large amounts.*

Main infested crops : *Rice, sugarcane, vegetables, root crops.*

Herbe annuelle, à demi couchée, mais ascendante, très ramifiée, H → 40 cm. Limbe plié en préfoliaison, L 15-20 cm × l ≈ 7 mm, entièrement glabre. Ligule absente, remplacée par une ligne en V, calleuse, blanchâtre. Gaines foliaires parfois rougeâtres. Panicule compacte L 5-15 cm, de 3-6 épis assez gros, serrés, L 1-4 cm, généralement rouge-pourpre, mais une forme verte se rencontre parfois. Epillets sessiles, L ≈ 3 mm.

Ecologie et biologie : Sols plats, humides et profonds. Indique l'excès d'eau dans le sol pendant au moins une partie de l'année. Propagation par graines, produites en abondance.

Principales cultures infestées : Riz, Canne, Maraîchage, Racines.

135 ● 135 ●

136 ● 136 ●

137

ELEUSINE INDICA (L.) Gaertn.
Fam : POACEAE

Vern. names : *Cheddah, Dutch grass, Fowlfoot grass, Goose grass, Iron grass, Yard grass*
Noms vern. : *Pyé poul, Pied de poule*

Range / Aire : *Pantropical. Very common in all islands.* Très commun dans toutes les îles.

An annual tufted grass H 15-70 cm, erect, or ± decumbent at base. Sheaths whitish, glabrous, conspicuously flattened, acutely carinate, imbricate, often short at the base of the culm. Ligule a lacerate membrane L ≈ 1 mm. Lvs conspicuously distichous, arching, elongate, slightly folded at base, L 7.5-30 cm × B 3-8 mm, glabrous but usually with long, flexuous hairs at the base of the upper surface. Spikes rather thick, digitate in 2-6(-10)'s, with a spike often borne lower on the flowering culm, L 3-15 cm. Spikelets laterally compressed, with 3-6 awnless florets, L 3-6 mm. Grains L 1-2 mm, transversely rough.

Ecology and biology : *Waste places and cultivated soils in many environments. Propagated by seeds.*
Main infested crops : *Vegetables, root crops.*

Herbe annuelle en touffe, H 15-70 cm, dressée, ou ± couchée à la base. Gaines blanchâtres, glabres, nettement aplaties, à carènes aiguës, imbriquées, souvent courtes à la base du chaume. Ligule membraneuse lacérée, L ≈ 1 mm. F. nettement distiques, arquées, allongées, un peu pliées à la base, L 7,5-30 cm × 1 3-8 mm, glabres mais en général à longs poils flexueux à la face supérieure vers la base. Epis assez gros, digités par 2-6(-10) et souvent un épi attaché plus bas L 3-15 cm. Epillets aplatis latéralement, de 3-6 fleurs sans arêtes, L 3-6 mm. Grains L 1-2 mm, transversalement rugueux.

Ecologie et biologie : Lieux abandonnés et sols cultivés, dans beaucoup de situations écologiques. Propagation par graines.
Principales cultures infestées : Maraîchage, Racines.

138

ERIOCHLOA POLYSTACHYA HBK.
Fam : POACEAE

Vern. names : *None known*

Noms vern. : *Para, Faux Para*

Range / Aire : *South America and Antilles.* Amérique du Sud et Antilles.

A perennial, densely tufted grass H 0.75-2 m, branched and decumbent at base. Culms rather thick. Nodes hairy. Basal sheaths hirsute. Ligule a ring of hairs L 0.5-1 mm, on a firm rim. Lvs spreading, flat, L 10-30 cm × B 7-17 mm, glabrous or nearly so. Panicle terminal L 15-25 cm. Spikes ± numerous, L 4-6 cm, spreading or ascending. Spikelets often tinged with purple, elliptical, acute, L 3.2-3.8 mm, usually in unequally pediceled pairs, each subtended by a brown-purple disc. Glumes slightly hairy. Fertile lemma with fine, transverse wrinkles. Not to be confused with Brachiaria purpurascens.

Ecology and biology : *Level, deep, wet soils. Propagated by seeds and rooted stem cuttings.*
Main infested crops : *All crops, except established bananas.*

Herbe pérenne en touffes denses, H 0,75-2 m, ramifiée et couchée à la base. Chaumes assez gros. Noeuds poilus. Gaines basales hirsutes. Ligule de poils L 0,5-1 mm, naissant sur une ride ferme. F. étalés, planes, L 10-30 cm × 1 7-17 mm, glabres ou presque. Panicule terminale L 15-25 cm. Epis ± nombreux, L 4-6 cm, étalés ou ascendants. Epillets souvent teintés de pourpre, elliptiques, aigus, L 3,2-3,8 mm, en général inégalement pédicellés par paires, chacun soutenu par un disque brun-violacé. Glumes un peu poilues. Glumelle fertile à fines rides transversales. Ne pas confondre avec *Brachiaria purpurascens.*

Ecologie et biologie : Sols plats, profonds, humides. Propagation par graines et par fragments de tiges racinées.
Principales cultures infestées : Toutes cultures, sauf Bananeraies adultes.

137

137

137
38

138

139

LEPTOCHLOA FILIFORMIS Beauv.

Fam : POACEAE

Syn. : *Leptochloa panicea* auct., non Ohwi

Vern. names : *Spangle top*
Noms vern. : *Zèb fin, Herbe fine*

Range / Aire : *Tropical America.* Amérique tropicale.

An annual grass, often purplish or reddish. Tufts erect, H 0.45-0.80 m. Culms slender, often bent and branched below. Sheaths cylindrical, usually hispid or hirsute. Ligule a dense fringe of hairs L 1-2 mm, on a minute membranous base. Lvs not many, thin, flaccid, flat, L 6-12 cm × B 1-10 mm, scabrous on the margins. Panicle L 8-35 cm. Spikes very slender, ± wavy, ascending, L 2-15 cm. Spikelets laterally compressed, L 1-3 mm, with 2-4 florets ; glumes acuminate, awnless. Lemmas L 1-1.6 mm, often hairy on the nerves. Grains L 0.7-0.8 mm.

Ecology and biology : *Waste places and cultivated soils in many environments. Propagated by seeds.*
Main infested crops : *Vegetables, root crops*

Herbe annuelle, souvent pourprée ou rougeâtre, en touffes dressées, H 0,45-0,80 m. Chaumes grêles, souvent géniculés et ramifiés à la base. Gaines cylindriques, en général hispides ou hirsutes. Ligule de poils L 1-2 mm, sur une base membraneuse. F. fines, flasques, planes, peu nombreuses, L 6-12 cm × 1 1-10 mm, à bord scabre. Panicule L 8-35 cm. Epis très grêles, ± flexueux, ascendants, L 2-15 cm. Epillets comprimés latéralement, L 1-3 mm, de 2-4 fleurs, à glumes acuminées, sans arêtes. Glumelles L 1-1,6 mm, souvent poilues sur les nervures. Grains L 0,7-0,8 mm.

Ecologie et biologie : Lieux abandonnés et sols cultivés, dans beaucoup de situations écologiques. Propagation par graines.
Principales cultures infestées : Maraîchage, Racines.

140

PANICUM MAXIMUM Jacq.

Fam : POACEAE

Vern. names : *Guinea grass*
Noms vern. : *Zèb Giné, Zèb Ginen, Herbe de Guinée*

Range / Aire : *Tropical Africa, now pantropical. All islands.* Afrique tropicale, devenu pantropical. Toutes îles.

A very variable species. Perennial grass, glabrous, in erect tufts H 0.75-2.5 m. Culms stout. Nodes usually densely hirsute. Sheaths cylindrical or slightly flattened, hirsute (with hairs arising from tubercules) or glabrous. Ligule of woolly hairs L 1.5-4 mm. Lvs flat, elongated, L 50-100 cm × B 8-35 mm, glabrous, or hirsute at the base of the upper surface ; margins scabrous. Panicle ± pyramidal, open, L 20-50 cm, with wiry branches, the lower ones whorled. Spikelets spaced, oblong, glabrous, L 3-3.5 mm. Fertile lemma transversely wrinkled. Wild and improved forms are used for forage.

Ecology and biology : *Many ecotypes occur. To be found in most environmental conditions. Propagated by seeds and tillers.*
Main infested crops : *All crops, except established bananas.*

Espèce très variable. Herbe pérenne glabre, en touffes érigées, H 0,75-2,5 m. Chaumes robustes. Noeuds en général densément hirsutes. Gaines cylindriques ou légèrement aplaties, hirsutes (à poils tuberculés à la base) ou glabres. Ligule de poils laineux L 1,5-4 mm. F. planes, allongées, L 50-100 cm × 1 8-35 mm, glabres, ou hirsutes à la base de la face supérieure ; bord scabre. Panicule ± pyramidale diffuse, L 20-50 cm, à branches filiformes, les inférieures verticillées. Epillets espacés, oblongs, glabres, L 3-3,5 mm. Glumelle fertile transversalement ridée.
Des formes sauvages ou améliorées sont utilisées comme fourrage.

Ecologie et biologie : Il existe beaucoup d' écotypes. On le rencontre dans la plupart des milieux. Propagation par graines et par éclats de souches.
Principales cultures infestées : Toutes cultures, sauf bananeraies adultes.

139 ●

139 ●

140 ●

140 ●

140 ●

141

PANICHUM TRICHOIDES Sw.
Fam : POACEAE

Vern. names : *Rice grass, Tickle grass*

Noms vern. : *Ti lavwan, Zèb fin, Petite avoine, Herbe fine*

Range / Aire : *Tropical America. Introduced in Asia and in the islands of the Pacific.* Amérique tropicale. Introduit en Asie et dans les îles du Pacifique.

An annual, delicate grass, in diffuse tufts H 15-40(-60) cm. Culms very slender, ascending or erect, branched and ± decumbent at base. Sheaths cylindrical, hairy and ciliate. Ligule a short, ciliate membrane. Lvs membranous, light green, glabrous or ± hispid, ovate-lanceolate, often falcate, L 2-7 cm × B 6-22 mm, cordate-auriculate at base, acuminate at apex. Panicle pyramidal, erect, L 4-18 cm, with thread-like, much-branched, spreading and ascending branches. Pedicels long, hair-like. Spikelets obovoid, slightly hirsute, L 1-1.4 mm. Fertile lemma light brown.

Ecology and biology : *Shady, moist places. Rainfall > 2000 mm. Propagated by seeds.*
Main infested crops : *Bananas, ornamentals grown under shade.*

Herbe annuelle délicate, en touffes diffuses H 15-40(-60) cm. Chaumes très grêles, ascendants ou érigés, ramifiés et ± couchés à la base. Gaines cylindriques, poilues et ciliées. Ligule courte, membraneuse-ciliée. F. membraneuses, vert clair, glabres ou ± hispides, ovées-lancéolées, souvent falciformes, L 2-7 cm × l 6-22 mm, cordées-auriculées à la base, acuminées à l'extrémité. Panicule pyramidale dressée, L 4-18 cm, à branches filiformes très ramifiées, étalées et ascendantes. Pédicelles longs, capillaires. Epillets obovoïdes, un peu hirsutes, L 1-1,4 mm. Glumelle fertile brun clair.

Ecologie et biologie : Lieux ombragés et frais. Pluies > 2000 mm. Propagation par graines.
Principales cultures infestées : Bananeraies, ombrières.

142

PASPALUM CONJUGATUM Berg.
Fam : POACEAE

Vern. names : *Sour grass, Sour paspalum, Buffalo grass*
Noms vern. : *Zèb si, Zèb mouton, Zèb fin, Zèb mouton fimèl, Zèb si mal, Zèb gazon, Herbe sure, Herbe à mouton, Herbe fine, Herbe à mouton femelle, Herbe sure mâle, Herbe à gazon*

Range / Aire : *Tropical America ; introduced in the Old World tropics.* Amérique tropicale ; introduit dans les tropiques de l'Ancien Monde.

Perennial, mat-forming grass, glabrous (var. conjugatum, *the common form), or hairy (var.* pubescens *Doell in Mart., rarer). Stolons slender, L → 2 m, with hairy nodes. Flowering culms H 20-50 cm. Sheaths flattened, ciliate on margins. Ligule a membrane L 1-1.5 mm. Lvs flat, thin, rather dull above, shiny beneath, L 8-12 cm × B 5-15 mm, acute, ± ciliate. Young lvs twice folded. Spikes 2, almost opposite, spreading, slender, ± arching, L 8-12 cm. Spikelets 2-ranked, much flattened and appressed, ovate or almost rounded, ∅ 1.4-1.8 mm, fringed with long, wavy, silky hairs.*
Used as a forage grass.

Ecology and biology : *Rainfall > 1800 mm, or wet soils. Propagated by seeds and by stolon cuttings.*
Main infested crops : *Vegetables, root crops.*

Herbe pérenne formant gazon, glabre (var. *conjugatum*, la plus courante) ou poilue (var. *pubescens* Doell en Mart., plus rare). Stolons grêles, L → 2 m, à noeuds poilus. Chaumes florifères H 20-50 cm. Gaines aplaties, ciliées sur les bords. Ligule membraneuse L 1-1,5 mm. F. planes, fines, assez ternes en dessus, luisantes en dessous, L 8-12 cm × l 5-15 mm, aiguës, ciliées. Jeunes F. 2 fois pliées. Epis 2, presque opposés, étalés, grêles, ± arqués, L 8-12 cm. Epillets sur 2 rangs, très aplatis et appliqués, ovés ou presque ronds, ∅ 1,4-1,8 mm, frangés de longs poils soyeux et flexueux.
Utilisé comme fourrage.

Ecologie et biologie : Pluies > 1800 mm, ou sols humides. Propagation par graines et par fragments de stolons.
Principales cultures infestées : Maraîchage, Racines.

141 ● 141 ●

142 ●

142 ●

143

PASPALUM PANICULATUM L.
Fam : POACEAE

Vern. names : *Angel grass*
Noms vern. : *Zèb a chouval, Herbe à cheval*

Range / Aire : *Pantropical.*

A perennial grass, in erect tufts H 0.5-1 m. Culms often rooting at base. Nodes ± hairy. Sheaths very hispid (rarely glabrous), with hairs arising from tubercules. Ligule ciliate L 2-3 mm. Lvs. flat, flaccid, L 10-30 cm × B 10-25 mm, villose or hispid. Panicle L 8-20 cm. Spikes usually many (10-60), crowded, arching-spreading, the lower ones L 4-12 cm, progressively reduced above. Rachis with sparse stiff hairs. Spikelets 4-ranked, often brownish or purplish, almost hemispherical, hairy, ∅ 1.2-1.5 mm.

Ecology and Biology : *Waste places and cultivated soils in many environments. Propagated by seeds.*
Main infested crops : *All crops.*

Herbe pérenne, en touffes dressées, H 0,5-1 m. Chaumes émettant souvent des racines à la base. Noeuds ± poilus. Gaines très hispides, à poils tuberculés à la base (rarement glabres). Ligule ciliée L 2-3 mm. F. planes, flasques, L 10-30 cm × 1 10-25 mm, velues ou hispides. Panicule L 8-20 cm. Epis en général nombreux (10-60), serrés, arqués-étalés, les inférieurs L 4-12 cm, les supérieurs graduellement réduits. Rachis à poils raides épars. Epillets sur 4 rangs, souvent brunâtres ou pourprés, presque hémisphériques, poilus, ∅ 1,2-1,5 mm.

Ecologie et Biologie : Lieux abandonnés et sols cultivés, dans beaucoup de situations écologiques. Propagation par graines.
Principales cultures infestées : Toutes cultures.

144

PASPALUM VIRGATUM L.
Fam : POACEAE

Vern. names : *Cut grass, Razor grass, Sword grass*
Noms vern. : *Zèb a chouval, Herbe à cheval, Zèbrid, Herbe rude*

Range / Aire : *Tropical America.* Amérique tropicale.

Perennial grass in large tufts, H 0.80-2 m. Culms stout. Sheaths thin, rounded or slightly keeled, often ciliate on upper margins. Lvs rather stiff, ascending, flat, glabrous, or hirsute towards the base of the upper surface, with scabrous, rather cutting margins, L 40-70 cm × B 10-25(-30) mm. Panicle L 15-25 cm, at the top of a rather slender axis, with 8-16 often archingdrooping spikes L 5-16(-20) cm, the upper ones progressively reduced. Spikelets 4-ranked, obovate, almond-green becoming light brown when ripe, dull, L 2.3-2.6(-3) mm, ± hairy on the top margin. Grain dark brown, dull.

Ecology and biology : *Deep and level soils. Rainfall > 1800 mm. Propagated by seeds.*
Main infested crops : *Root crops, vegetables, edges of banana fields.*

Herbe pérenne en grosses touffes, H 0,80-2 m. Chaumes robustes. Gaines fines, arrondies ou un peu carénées, souvent ciliées en haut. F. assez rigides, ascendantes, planes, glabres, ou hirsutes vers la base de la face supérieure, à bords rudes et assez coupants, L 40-70 cm × 1 10-25(-30) mm. Panicule L 15-25 cm, à l'extrémité d'un axe assez grêle, de 8-16 épis souvent ± arqués-retombants, L 5-16(-20) cm, les supérieurs progressivement réduits. Epillets disposés sur 4 rangs, obovés, vert-amande virant au brun clair à maturité, ternes, L 2,3-2,6(-3) mm, ± poilus sur le bord vers l'extrémité. Grain brun sombre, mat.

Ecologie et biologie : Sols profonds et plats. Pluies > 1800 mm. Propagation par graines.
Principales cultures infestées : Racines, Maraîchage, orée des Bananeraies.

143 ●

143 ●

144 ●

144 ●

144 ●

145

ROTTBOELLIA COCHINCHINENSIS (Lour.) Clayton
Fam : POACEAE
Syn. : *Rottboellia exaltata* L. f.

Vern. names : *Itch grass, Corn grass, Prickle grass*
Noms vern. : *Zèb a diri, Zéb a kann, Herbe à riz, Herbe à canne*

Range / Aire : *South-East Asia, now pantropical. Probably all islands.* Asie du Sud-Est, devenu pantropical. Sans doute toutes les îles.

Annual or perennial tufted grass H 0.60-1.20(-2.50) m. Culms simple, or branched in old plants. Sheaths cylindrical, covered with stiff, spreading, irritating hairs. Lvs L 12-30 cm × B 5-20 mm, attenuate to the base, with scabrous margins, and with a wide and whitish central nerve. Spikes solitary, whitish green, stiff and erect, progressively attenuate at both ends, L 3-15 cm × ∅ 3-4 mm, breaking up into joints when ripe. Spikelets borne in pairs : one sessile, the other on a flattened pedicel, sunken in the thickened rachis, L 7-14 mm (glumes L 3.5-5 mm).

Ecology and biology : *Waste places and open fields on deep soils at low to middle elevations. Propagated by seeds enclosed in spike joints.*
Main infested crops : *Sugarcane, yams, vegetables.*

Herbe annuelle ou pérenne en touffes H 0,60-1,20(-2,50) m. Chaumes simples, ou ramifiés sur les vieux pieds. Gaines cylindriques, couvertes de poils rigides étalés, irritants. F. L 12-30 cm × l 5-20 mm, rétrécies vers la base, à bords coupants et à nervure principale large et blanchâtre. Epi solitaire vert-blanchâtre, rigide et dressé, progressivement rétréci aux deux extrémités, L 3-15 cm × ∅ 3-4 mm, se désarticulant à maturité. Epillets par paires : l'un sessile, l'autre à pédicelle aplati, enfoncés dans le rachis épaissi, L 7-14 mm (glumes L 3,5-5 mm).

Ecologie et biologie : Lieux abandonnés et cultures ouvertes sur sols profonds à basse et moyenne altitude. Propagation par les graines, incluses dans les articles des épis.
Principales cultures infestées : Canne, Ignames, Maraîchage.

146

SETARIA BARBATA (Lam.) Kunth

Fam : POACEAE

Vern. names : *Corn grass, Marvet*
Noms vern. : *Zèb kanòt, Zèb a diri, Herbe canot, Herbe à riz*

Range / Aire : *Tropical Asia ; introduced in tropical America. Most islands.* Asie tropicale ; introduit en Amérique tropicale. La plupart des îles.

An annual grass with loose tufts H (10-) 25-60 (-200) cm. Culms slender, rather flaccid, often decumbent and rooting at lower nodes. Nodes hairy. Sheaths compressed, glabrous or villose. Ligule a fringed membrane L ≈ 1 mm. Lvs elliptic-lanceolate, papery, pleated lengthwise, and often spoon-shaped, hairy beneath and often above, L 10-30 cm × B 7-25(-30) mm. Panicle L 5-20 cm, with ascending spikes L 3-10 cm. Spikelets 2-ranked, L 2.3-2.9 mm, some of them subtended by bristles L 5-10 mm. Fertile lemma transversely rough.

Ecology and biology : *Crops on deep and well fertilized soils. Propagated by seeds.*
Main infested crops : *Vegetables, eggplant, root crops, edges of banana fields.*

Herbe annuelle en touffes diffuses, H (10-) 25-60 (-200) cm. Chaumes grêles, assez flasques, souvent couchés et émettant des racines à la base. Noeuds poilus. Gaines comprimées, glabres ou velues. Ligule membraneuse frangée L ≈ 1 mm. F. elliptiques-lancéolées, à texture de papier, plissées longitudinalement, et souvent "en cuiller", poilues en dessous et souvent en dessus, L 10-30 cm × l 7-25(-30) mm. Panicule L 5-20 cm, formée d'épis ascendants L 3-10 cm. Epillets sur 2 rangs, L 2,3-2,9 mm, certains soutenus par des soies L 5-10 mm. Glumelle fertile ridée transversalement.

Ecologie et biologie : Cultures sur sols profonds et bien fertilisés. Propagation par graines.
Principales cultures infestées : Maraîchage, Aubergine, Racines, orée des Bananeraies.

145 ●

145 ●

145 ●

146 ●

146 ●

147

SORGHUM HALEPENSE (L.) Pers.
SORGHUM VERTICILLIFLORUM (Steud.) Stapf
Fam : POACEAE

Vern. names : *Johnson grass, Syrian grass*

Noms vern. : *Aucun connu*

Range / Aire : *Old World tropics. Range in the Lesser Antilles to be checked.* Tropiques de l'Ancien Monde. Extension dans les Petites Antilles à préciser.

Perennial grasses with fleshy, creeping rhizomes (S. halepense), *or tufted* (S. verticilliflorum). *Culms erect, H 1-2 m. Ligule a ciliate membrane. Lvs long, linear, B 8-15(-20) mm. Panicle large, open, L 15-35 cm, with many compound, ± drooping branches. Sessile spikelets L 4.5-5.5 mm, awnless or with a delicate, bent, readily deciduous awn L 1-1.5 mm ; glumes nerveless. Pediceled spikelets awnless, narrower and thinner than the sessile ones. These newly introduced species threaten cane fields.*

Ecology and biology : *Mostly waste places (roadsides, etc.), but also in cultivated land. Propagated by seeds and rhizomes* (S. halepense), *or only by seeds* (S. verticilliflorum).

Main infested crops : *Sugarcane.*

Herbes pérennes, à rhizomes charnus, rampants *(S. halepense)*, ou en touffes *(S. verticilliflorum)*. Chaumes dressés, H 1-2 m. Ligule membraneuse ciliée. F. longues, linéaires, l 8-15(-20) mm. Panicule grande, lâche, L 15-35 cm, de nombreuses branches composées ± retombantes. Epillets sessiles L 4,5-5,5 mm, sans arête, ou avec une arête délicate, géniculée, facilement décidue, L 1-1,5 mm ; glumes sans nervures. Epillets pédicellés sans arête, plus étroits et plus fins que les sessiles. Ces espèces nouvellement introduites menacent les champs de Canne.

Ecologie et biologie : Surtout lieux abandonnés (bords de routes, etc.), et dans les cultures. Propagation par graines et par rhizomes (*S. halepense*), ou seulement par graines (*S. verticilliflorum*).

Principales cultures infestées : Canne.

148

SPOROBOLUS INDICUS (L.) R. Br.
SPOROBOLUS JACQUEMONTII Kunth

Fam : POACEAE

Vern. names : *Bed grass, Dropseed grass, Tapia grass, Wire grass*

Noms vern. : *Kabouya, Zèb kabouya, Cabouya, Herbe à cabouya*

Range / Aire : *Tropical America.* S. jacquemontii *: most islands.* S. indicus *: Guad.* Amérique tropicale. *S. jacquemontii* : la plupart des îles. *S. indicus* : Guad.

Two species, closely related, and not easily distinguished. Glabrous, tufted, perennial herbs ; culms firm, ± stiffly erect, unbranched, H 30-100 cm. Ligule a ciliate membrane L 0.2-0.5 mm. Lvs long and narrow, ± arching-drooping, L → 75 cm × B 1-2(-4) mm, tapering into very long, often wavy, thread-like tips. Panicle L 10-30(-40) cm, with strictly erect and appressed (S. indicus) *or loosely ascending to spreading* (S. jacquemontii) *branches. Spikelets L 1.4-2 mm, short-pediceled, appressed.*

Ecology and biology : *Waste places, cultivated soils and pastures. Propagated by seeds.* S. jacquemontii, *in many environments.* S. indicus, *mostly on ferrallic cambisols.*

Main infested crops : *Pastures, sugarcane, root crops.*

Deux espèces très proches, difficiles à distinguer. Herbes glabres, pérennes, en touffes ; chaumes fermes, ± rigides et érigés, non ramifiés, H 30-100 cm. Ligule membraneuse ciliée L 0,2-0,5 mm. F. longues et étroites, ± arquées-retombantes, L 75 cm × l 1-2(-4) mm, rétrécies en une très longue pointe filiforme souvent flexueuse. Panicule L 10-30(-40) cm, à branches très dressées et apprimées *(S. indicus)* ou lâchement ascendantes à étalées *(S. jacquemontii)*. Epillets L 1,4-2 mm, à pédicelles courts, appliqués contre l'axe.

Ecologie et biologie : Lieux abandonnés, sols labourés, savanes et pâturages. Propagation par graines. *S. jacquemontii :* dans beaucoup de situations écologiques. *S. indicus :* surtout sur sols ferrallitiques.

Principales cultures infestées : Prairies, Canne, Racines.

147 ●

147 ●

148 ●

148 ●

148 ●

149

NEPHROLEPIS MULTIFLORA
(Roxb.) Jarrett ex Morton
Fam : POLYPODIACEAE
(Dryopteridoideae)

Vern. names : *Diwi (Dom)*
Noms vern. : *Aucun connu*

Range / Aire : *India. Now pantropical or nearly so. Almost all islands.* Inde. Devenu presque pantropical. Presque toutes les îles.

A terrestrial fern H 20-150 cm, often forming large clumps. Rhizome short, woody, erect, clothed with dark brown, fringed scales. Stolons numerous, wiry. Fronds (leaves) clustered, crowded, erect. Stipe (petiole) rather short. Blade light green, rather thick and stiff, narrowed at base, L 15-120 cm × B 5-15 cm, with many pinnae (narrow lobes) L 2-7.5 cm × B 5-12 mm, these sessile and auriculate at base, the auricle often overlapping the rachis. Margins minutely serrate or crenate. Sori submarginal on the lower surface, in a single row.

Ecology and biology : *Ferrallitic soils at middle elevations (and low elevations under high rainfall).*
Main infested crops : *Natural and improved pastures.*

Fougère terrestre H 20-150 cm, formant souvent de larges colonies. Rhizome court, ligneux, dressé, couvert d'écailles brun sombre et frangées. Stolons nombreux, filiformes. Frondes (feuilles) en groupes serrés, dressés. Stipe (pétiole) assez court. Limbe vert clair, assez épais et rigide, rétréci à la base, L 15-120 cm × l 5-15 cm, à nombreuses pennes (lobes étroits) L 2-7,5 cm × l 5-12 mm, sessiles et auriculées à la base, l'oreillette recouvrant souvent le rachis. Bords finement dentés en scie ou finement crénelés. Sores en un seul rang, près de la marge à la face inférieure.

Ecologie et biologie : Sols ferrallitiques en altitude moyenne (et basse si la pluviométrie est élevée).
Principales cultures infestées : Savanes, Prairies.

150

THELYPTERIS DENTATA
(Forssk.) E. St. John
Fam : POLYPODIACEAE
(Thelypteridoideae)

Vern. names : *none known*
Noms vern. : *aucun connu*

Range / Aire : *Pantropical.Probably introduced in tropical America.* Sans doute introduit en Amérique tropicale.

Terrestrial fern H 40-120 cm. Rhizomes short, creeping. Stipes (petioles) closely distichous, L 15-45 cm, with dark brown, lustrous scales at base. Blades thin, rather flaccid, L 40-90 cm × B 14-34 cm, tapering evenly towards the tip. Pinnae (narrow lobes) many, L 7-17 cm × B 10-27 mm, with deep lobes B 2-4 mm. Sori not marginal.

Ecology and biology : *Rather shady and moist places.*
Main infested crops : *Upland bananas, ornamentals.*

Fougère terrestre H 40-120 cm. Rhizomes courts, rampants. Stipes (pétioles) rapprochés et distiques, L 15-45 cm, portant à la base des écailles brun foncé, lustrées. Limbe fin, assez flasque, L 40-90 cm × l 14-34 cm, progressivement rétréci vers le haut. Pennes (lobes étroits) nombreuses, L 7-17 cm × l 10-27 mm, à lobes profonds l 2-4 mm. Sores non marginaux.

Ecologie et biologie : Lieux assez ombragés et humides.
Principales cultures infestées : Bananeraies d'altitude, Jardins d'agrément.

149 ●

149 ●

150 ●

150 ●

150 ●

Glossary

Achene : a dry *fruit* that does not split open, containing a single seed.
Acuminate : gradually tapering to a sharp point.
Acute : sharp or pointed.
Adventitious : of shoots or roots produced in uncommon positions, or at uncommon times of development.
Alternate : with a single leaf (or other structure) present at each node.
Annual : a plant completing its life-cycle (from germination to seed production) in one growing season, although it may persist for more than one year.
Anther : the part of the male organ (*stamen*) that produces and releases pollen.
Apex : the tip of an organ (leaf, branch, etc).
Apical : at a tip.
Appressed : pressing against a surface or an axis, as for example, hairs may be appressed to a leaf surface.
Ascending : rising upward at an angle of less than 90 degrees.
Attenuate : tapering gradually.
Auricle : a clasping part at the base of a flat organ (leaf, *stipule*...) that extends around or along the bearing axis (branch, twig...).
Auriculate : having *auricles.*
Awn : a bristle on a *glume* of a grass *spikelet* or *floret.*
Axil : the angle formed by a leaf with the stem bearing it.
Axillary : arising in, or related to, the *axil* of a leaf.
Barbed : with secondary, backward projecting, points.
Berry : a fleshy, succulent *fruit,* without a hard stone.
Biennal : a plant usually requiring two growing seasons to complete its life cycle.
Bipinnate : of a leaf : doubly *pinnately* compound, the leaf pinnately divided into *pinnae,* which are in turn divided into *leaflets.*
Bipinnately dissected : of a leaf : dissected or incised into pairs of lobes or *segments* along the *midrib,* with these lobes or segments also so dissected (has the same meaning as *bipinnatifid* ; see also *pinnately dissected*).
Bipinnatifid : see *bipinnately dissected.*
Blade : the expanded, mostly flat, part of an organ (leaf, petal).
Botanical name : the two-part scientific name, comprising the name of the *genus* and the adjective of the *species* : it is either written in *italics* or *underlined.*
Bract : a leaf-like part of an *inflorescence* or flower, sometimes coloured and often mistaken for a *petal.*
Bracteole : a small *bract,* or a bract of lower order.
Bulb : a bud with fleshy *bracts* or *scales,* usually an underground bud : a *perennating* organ with food reserves.
Bur : a spiny or pickly *fruit* or fruit segment.
Caducous : dropping off or falling at a certain stage of growth.
Calyx : the outer, usually green, part of a flower, composed of the *sepals.*
Capsule : a dry, often many-seeded, *fruit,* opening by pores, by valves, or by a lid to release the seeds.
Carpel : a single organ, either free or part of an *ovary,* containing the female germ cells.

Carpids : dry fruits arranged like the spokes of a wheel, or attached in some other way, but separating at maturity.
Ciliate : with a fringe of fine hairs.
Climber : a plant that climbs over others, or over other supports, by twining or scrambling, or by means of *tendrils*.
Cluster : a close group of similar plant parts (mostly of flowers or fruits).
Composite : often used to refer to a member of the Asteraceae family (formerly known as the Compositae), but also used to mean « made up of several units ».
Compound : composed of several units or parts : a compound leaf is made up of two or more *leaflets*.
Cordate : heart-shaped.
Corm : an underground thickened portion of the main stem, containing food reserves, usually with leaf scars or remains : a perennating organ.
Corolla : the inner part of a flower, usually coloured and showy, composed of the *petals*.
Corymb : a type of *inflorescence* in which the flowers are more or less at the same level, due to elongation of the lower flower stalks.
Crenate : with rounded teeth, usually of a leaf margin : see also *dentate* and *serrate*.
Culm : the mostly upright stem of a grass or sedge, solid or hollow, often leafy at least towards the base.
Cuneate : wedge-shaped, narrowing.
Cupulate : in the form of a small cup.
Cupule : small cup.
Cyme : a convex or flat *inflorescence,* in which the central flowers open first.
Cymule : a small *cyme*.
Deciduous : *caducous*.
Decumbent : prone, flat on the ground.
Decussate : *opposite* leaves arranged such that successive pairs are at right angle.
Dehiscent : of *anthers* or *fruits* : opening at maturity by splitting along definite lines or opening in some other way to shed *pollen* or seeds.
Deltoid : triangular, with more or less equal sides.
Dentate : toothed, usually of a leaf margin : see also *crenate* and *serrate*.
Dichotomous : divided (mostly several times) into two more-or-less identical and symmetrical parts.
Diffuse : loosely spreading.
Digitate : of a compound leaf, where the *leaflets* are separate and radiate from a point.
Digitately trifoliolate : with three *leaflets* radiating from a point.
Dioecious : with male and female flowers borne on separate plants.
Disc-floret : a central tubular flower in the composite flower head of plants of the Asteraceae family.
Dissected : cut into *segments,* or deeply lobed.
Distichous : arranged in two rows on both sides of an axis.
Drupe : a *fruit* with a fleshy, pulpy or fibrous outer part enclosing a hard « stone » containing a single seed.
Ecotype : a form or *variety* apparently adapted to a particular environment.
Ellipsoid : three dimensionally *elliptic*.
Elliptic : oval, widest in the middle, and usually about one and a half times as long as wide.
Entire : without teeth, serrations or lobes : usually of a leaf margin.
Escape : a species that has escaped from cultivation to become more or less naturalised, either as a weed or as a plant of natural communities.
Even-pinnate : of a leaf : with *leaflets* in pairs, so that the number of *leaflets* is even.
Falcate : sickle-shaped.
Family : a group of related *genera* : family names usually end in « -aceae », and are not italicized.
Fibrous : made up of fibres or thread-like appendages.
Filiform : thread-like.
Flaccid : limp or flabby, lacking turgor.

Floret : a small or reduced flower as in the grasses and the *sedges,* and in the Asteraceae family (formerly known as the Compositae).
Flower : the reproductive parts of the plant, usually coloured, from which the *fruit*(s) and seeds develop.
Flower head : an *inflorescence* consisting of a few to many, usually small *florets* on a flattened, concave, convex or conical receptacle : characteristic of the Asteraceae family (formerly known as the Compositae), and also known as a capitulum (plural form capitula).
Frond : the « leaf » of a fern (or of a palm).
Fruit : the ripe and mature *ovary* or ovaries, with seed or seeds and other attached parts : may be dry or *succulent.*
Genera : the plural of *genus.*
Genus : a grouping of plants with some common characteristics, and usually comprising several *species.*
Glabrous : without hair.
Glaucous : pale bluish-green in colour, or with a whitish waxy bloom.
Globose : spherical, or nearly so.
Glomerule : a cluster of small, short-stalked flowers.
Glume : a small *bract* in the *spikelet* of grasses or *sedges.*
Grain : a dry one-seeded *fruit* that does not split open, with the fruit and seed coverings fused together, most common in the grass family.
Habit : the form or shape of a plant : also whether it is an *annual,* a *biennal,* or a *perennial.*
Habitat : the normal place of occurence of a plant *species* or *ecotype,* or of a *plant community.*
Hastate : triangular in shape, like a spearhead.
Haustorium : an absorbing organ, especially that of a *parasitic plant* : the plural is haustoria.
Head : a dense inflorescence of *sessile* or nearly sessile flowers or *florets.*
Herb : any plant of which the stem is not woody or persistent, and which usually dies down after flowering ; strictly speaking, therefore, most grasses and *sedges* are herbs, but commun usage generally restricts the term to broad-leaved plants.
Hirsute : hairy, with coarse not silky hairs.
Hispid : hairy, with coarse or stiff, short hairs.
Imbricate : overlapping.
Imperfect flower : a flower with either *stamens* or *pistil,* but not both.
Incised : cut rather deeply.
Indehiscent : of *fruits* : not opening at maturity to release seeds.
Indigenous : native to a region or location.
Inflorescence : a flower-bearing branch, or the arrangement or grouping of the flowers.
Internode : the part of the stem between two nodes.
Introduced : not native or indigenous, but brought in from overseas.
Involucral : of or pertaining to an *involucre.*
Involucre : the outer, generally green, *bracts* or *calyx*-like parts of a flower cluster or *flower-head.*
Irregular : not symmetrical in shape.
Keeled : ridged, or shaped like the keel of a boat.
Lamina : the expanded part, or blade, of a leaf or *petal.*
Lanceolate : lance-shaped : two or three times as long as broad, tapering to a point, and broadest just below the middle.
Latex : milky, opaque sap or juice.
Leaf-blade : the *lamina* or expanded part of a leaf.
Leaf-sheath : the lower part of a leaf which encloses the *stem* especially in grasses and *sedges.*
Leaflet : a component part of a *compound* leaf.
Leafy : resembling a leaf, or with an abundance of leaves.
Lemma : one of the *bracteoles* of an individual *floret* of the *spikelet* of a grass : see also *glume* and *palea.*
Ligulate : strap-like.
Ligule : the small translucent scale or fringe of hairs at the junction of the *leaf-blade* and of the *leaf-sheath* in grasses and *sedges,* or the strap-like part of the *ray florets* of the capitulum in some of the Asteraceae.

Linear : long and narrow, with almost *parallel sides.*
Lobed : divided into *segments.*
Locule : a compartment, usually of a *fruit* divided by partitions or septa.
Midrib : the main *vein* of a leaf which is the continuation of the *petiole.*
Monoecious : having separate male and female flowers on the same plant.
Mucronate : with an extruding minute sharp point.
Nerve : the usually conspicuous *veins* of a leaf, *bract,* or *glume.*
Node : the point of attachement of a leaf or leaves to a *stem.*
Nutlet : a small one-seeded *fruit* with a hard dry shell, not opening to release the seed.
Ob- : a prefix indicating the reverse of a shape or form.
Obcordate : reverse *cordate,* with the pointed end downwards or attached.
Oblanceolate : reverse *lanceolate,* with the narrower end downwards or attached.
Oblong : *elliptical,* but blunt at both ends, with nearly parallel sides, and at least twice as long as wide.
Obovate : reverse *ovate,* with the narrower end downwards or attached.
Obovoid : reverse *ovoid,* with the narrower end downwards or attached.
Obtuse : blunt, not acute : usually of a leaf tip.
Odd-pinnate : of a leaf : with an odd number of *leaflets* : with two or more pairs and a single terminal *leaflet.*
Opposite : of leaves : attached at opposite sides of the stem so as to occur as pairs at each node.
Ovary : the female organ of a flower containing one or more female germ cells.
Ovate : bi-dimensionally egg-shaped, with the broader end downwards or attached.
Ovoid : egg-shaped.
Palea : one of the *bracteoles* of an individual *floret* of the *spikelet* of a grass : see also *glume* and *lemma.*
Palmate : *lobed* or divided like the fingers of a hand.
Panicle : a branched raceme with, usually, stalked flowers.
Pappus : a ring or tuft of fine hairs serving as a parachute for the wind dispersal of seeds.
Parasitic plant : a plant that draws its food wholly or in part from other plants.
Pedicel : the stalk of a single flower that is part of an *inflorescence.*
Peduncle : the stalk of an *inflorescence,* or of a solitary flower.
Peltate : attached by a point of the surface, not of the margin.
Perennating : of a vegetative organ that enables a plant to persist as perennial.
Perennial : growing for more than two years or seasons.
Perfect flower : a flower with both male and female organs.
Perianth : the non-reproductive parts of a flower, generally comprising the *calyx* and the *corolla* (may be simple or absent).
Pericarp : the part of the *fruit* developed from the *ovary* wall and enclosing the seeds.
Persistent : remaining attached after growth has ceased.
Petal : a component part of the *corolla,* usually coloured : see also *sepal.*
Petiole : a leaf stalk, attaching the leaf to the *stem.*
Pilose : hairy, with long, soft hairs.
Pinna : a component part of a *bipinnate* leaf : such a leaf is made up of one or more pairs of *pinnae,* each of these *pinnae* comprising one or more pairs of *leaflets.*
Pinnae : plural of *pinna.*
Pinnate : of leaves : divided into *leaflets* along a common axis or *rachis.*
Pinnately dissected : of leaves : dissected or incised into one or more pairs of lobes or *segments* along the *midrib,* usually with a terminal lobe or *segment.* See also *bipinnately dissected.*
Pinnatifid : *pinnately dissected..*
Plant community : a group of *species* that generally occur together in a particular type of *habitat.*
Plasticity : the capacity to vary in size and seed production, in response to environmental conditions - nutrient and water supply, light, competition, and other factors.
Pod : a dry, *dehiscent,* and usually long *capsule,* containing (usually) several seeds in one or more rows, and opening along one or both sides.
Pollen : the fine powdery substance released by the *anthers* of a flower : the pollen fertilises the female germ cells to produce seed.

Prickle : a stiff, sharp-pointed outgrowth from the surface of a *stem, vein, petiole,* etc.
Propagate : to multiply or reproduce, and to disseminate or spread.
Prostrate : lying flat on the ground.
Pubescent : hairy, with short, soft hairs.
Raceme : an unbranched elongated *inflorescence* with stalked flowers, with the oldest flowers towards the base.
Rachis : the main axis of a *pinnate* leaf, or of an *inflorescence.*
Ray-floret : an outer, usually enlarged floret of a capitulum.
Rhizomatous : having *rhizomes.*
Rhizome : an underground creeping *stem,* usually a means of propagation and spread.
Rhomboidal : diamond-shaped, with four approximately equal sides.
Rosette : a basal cluster of leaves, often spreading or *prostrate.*
Ruderale : a plant species normally found growing in disturbed, unstable places.
Sagittate : shaped like an arrowhead.
Scabrous : with a scurfy, rough, or finely warty surface.
Scale : a reduced leaf, usually without a *petiole,* dry and papery, and usually not green ; or a usually *peltate* flattened hair.
Scape : a leafless flower-bearing stalk or *peduncle,* arising from a basal *rosette* of leaves.
Scrambler : a weak-stemmed plant that climbs over taller plants, or over other supports, holding on by *spines, thorns* or *prickles.*
Sedge : a grass-like plant of the Cyperaceae family.
Segment : a part attached but apparently separable from the remainder of the same structure.
Sepal : a component part of the *calyx,* usually green.
Serrate : saw-toothed, usually of a leaf margin : see also *crenate* and *dentate.*
Sessile : lacking a *petiole, peduncle* or *pedicel.*
Shrub : a woody plant, usually *biennal* or *perennial,* often growing a few meters tall.
Simple : not *compound* : not divided into *leaflets.*
Sinuate : wavy.
Sori : plural form of *sorus.*
Sorus : the spore-producing organ of a fern, usually located on the underside of a frond.
Spadix : a thickened, fleshy, and densely-flowered *spike* : found in the Araceae.
Spathe : a leaf-like *bract,* sometimes coloured, that encloses an *inflorescence.*
Spathulate : spatula-shaped, with the extremity distinctly enlarged.
Species : a group of similar plants that are able to interbreed.
Specific : pertaining to a *species.*
Spike : a *raceme* with *sessile* flowers.
Spikelet : the unit of a grass or *sedge inflorescence,* made up of one or more *florets* covered by *glumes.*
sp. : the abbreviation for a (single) *species* : commonly used to indicate that the species of the *genus* has not been indentified.
spp. : the abbreviation for more than one *species* : commonly used to indicate that several species of the *genus* are present, but have not been identified.
Spine : a sharp-pointed *thorn*-like organ.
Stamen : a male organ of a flower, usually comprising a supporting filament and an *anther.*
Standard : the « upright » *petal* of a flower of a plant of the Fabaceae or Papilionaceae (pea) family.
Stem : main stalk or axis of a plant, usually aerial but sometimes partially or wholly subterranean, and not necessarily upright.
Stigma : the part of the *style* or *ovary* that receives the *pollen* for fertilisation.
Stipular : of, or formed from, the *stipules.*
Stipule : a small leaf-like structure, *scale* or bristle at the junction of a *petiole* and the *stem* : occasionally modified to a *spine*, or absent, and usually occuring in pairs.
Stolon : a creeping and rooting *stem,* usually above the ground.
Stoloniferous : having *stolons.*
Straggling : loose, non-compact, apparently irregular in outline.
Striate : with fine, parallel, ribs or stripes.

Style : the extension of the *ovary* that supports the *stigma.*
Sub- : a prefix meaning « below », « to a lesser extent », or « not quite » : hence subspecies (a division below the level of a species) and sub-opposite (not quite opposite).
Succulent : fleshy, juicy, or full of sap.
Taproot : a prominent downward-growing main root, with smaller lateral roots.
Tendril : slender thread-like branched or unbranched coiled organ of attachment.
Thorn : a sharp-pointed woody structure, formed from a modified branch.
Tomentose : hairy, with soft wooly hairs.
Trifoliolate : with three *leaflets.*
Truncate : ending abruptly.
Tuber : a storage organ, usually underground, and with many buds.
Tuberculate : having or bearing *tubercules*, or arising from a *tubercule.*
Tubercule : a small, usually round, bump, sometimes giving rise to a hair.
Twiner : a *vine* that wraps around or entwines other plant parts or available supports in order to gain height.
Umbel : a *simple* or *compound inflorescence,* with the flowers and secondary branches arising from a common point, and usually attaining a common level through differential elongation of the *pedicels.*
Undulate : wavy up and down, but on a larger scale than suggested by corrugated or wrinkled.
Unifoliolate : with a single *leaflet,* but in the context of a *species* or *genus* where *compound* leaves are normal or common.
Unilocular : having a single locule or compartment.
Variety : a distinct form of a plant, ranking below a *subspecies.*
Veins : the vascular or conducting strands of a leaf.
Venation : the arrangement or pattern of the *veins* of a leaf.
Villous : shaggy, with long, soft, weak hairs.
Vine : a weak-stemmed plant, sometimes *prostrate,* but often climbing over fences or other plants by twining or by *tendrils* : sometimes of a woody plant — such as a grapevine — that needs to be trained and supported.
Whorled : with three or more leaves, branches, or parts of a flower at a node.

Glossaire

Acumen : pointe terminale plus ou moins allongée.
Acuminé : terminé en pointe.
Adventice : 1) au sens strict, se dit d'une plante sauvage non *indigène* qui ne se naturalise pas ; 2) utilisé par les agronomes comme synonyme de « mauvaise herbe ».
Adventive : se dit d'une racine ou d'une pousse qui apparaît en un point anormal, ou un moment anormal du développement de la plante.
Aigrette : touffe de poils, ou par extension, d'*écailles* (3), etc.
Aigu : terminé progressivement en pointe.
Aile : membrane mince longitudinale (sur tige, fruit, etc.).
Ailes : *pétales* latéraux des fleurs papilionacées.
Aisselle : angle formé par le *pétiole* avec la tige, ou par les *nervures* latérales avec la *côte*.
Akène : fruit sec, ne s'ouvrant pas (*indéhiscent*) et formé d'un seul *carpelle*.
Albumen : tissu de réserve de la graine (souvent absent).
Alternes : se dit des feuilles disposées des hauteurs différentes sur la tige (voir *opposées*, *verticillées*).
Anguleux : qui présente des angles.
Annuel : qui effectue un cycle complet (de la germination à la production de graines) en une année au plus.
Anthère : partie terminale (en général) de l'*étamine*, constituée de sacs polliniques contenant le *pollen*.
Apex : extrémité terminale (sommet, pointe).
Apical : situé à l'*apex*.
Apiculé : terminé brusquement en une petite pointe.
Arbrisseau : plante ligneuse, ramifiée dès la base, et de petite taille.
Arbuste : plante ligneuse, à tronc bien développé, unique (en général), et dont la taille ne dépasse pas quelques mètres.
Arête : organe *filiforme*, droit et raide, fixé à la base, et libre à l'extrémité.
Article : portion d'organe se séparant d'elle-même du reste de l'organe.
Articulé : 1) composé d'*articles* successifs ; 2) non en continuité parfaite avec un autre organe ; 3) muni de noeuds.
Ascendant : 1) étalé à la base, puis redressé ; 2) montant obliquement.
Atténué : progressivement rétréci.
Auricule : partie d'un organe plat, ressemblant à une petite oreille, et qui se prolonge autour ou le long de l'*axe* porteur (on dit aussi « oreillette »).
Auriculé : muni d'une ou de plusieurs *auricules*.
Avorté : arrêté dans son développement.
Axe : organe allongé (tige, *rachis*), portant d'autres organes (feuilles, fleurs ou groupes de fleurs).
Axillaire : naissant aux aisselles.
Baie : *fruit* charnu, *indéhiscent*, sans noyau.
Bec : pointe rigide terminale.
Bifide : fendu en deux.
Bilabié : qui possède deux lèvres.

Bipenné : deux fois *penné* : les premiers *segments* (*pennes*) eux-mêmes pennés.
Bipinnatifide : deux fois *pinnatifide* : les premières divisions elles-mêmes pinnatifides.
Bisannuel(le) : se dit d'une plante qui effectue son cycle (de la germination à la production de graines) en deux ans.
Bractée : organe ressemblant en général à une petite feuille, soutenant une *inflorescence* ou une partie d'inflorescence.
Bractéole : *bractée* secondaire, soutenant des parties plus élémentaires de l'*inflorescence* que les bractées.
Bulbe : tige souterraine renflée, arrondie, formée essentiellement d'un bourgeon portant de grandes *écailles* (3) charnues (comme l'Oignon).
Bulbille : bourgeon *axillaire* modifié, ressemblant un petit *bulbe,* et se détachant pour former une bouture naturelle.
Caduque : qui tombe à un certain stade du développement de la plante.
Calice : enveloppe la plus externe de la fleur, en général divisée en *sépales.*
Capitule : *inflorescence* dans laquelle l'*axe* est dilaté à l'extrémité en un *réceptacle,* qui porte plusieurs fleurs *sessiles* (famille des Asteracées).
Capsule : *fruit* sec, *déhiscent,* et composé en général de plusieurs *carpelles.*
Carène : 1) pièce antérieure de la *corolle* des fleurs *papilionacées,* formée de deux *pétales* plus ou moins soudés ; 2) ligne longitudinale fortement saillante, soulignant le plus souvent le pli d'un organe.
Caréné : 1) rappelant la forme d'une coque de bateau. 2) marqué d'une ou plusieurs *carènes* (2).
Carpelle : organe contenant un ou plusieurs *ovules* ; peut être libre, ou le plus souvent soudé à d'autres en un *ovaire.*
Cartilagineux : épais, assez dur mais fragile et cassant comme un cartilage.
Charnu : épais, et à consistance plus ou moins tendre.
Chartacé : à texture ou consistance de carton mince.
Chaume : nom donné aux tiges (souvent creuses) des Poacées.
Chlorophylle : substance qui donne aux plantes leur couleur verte, et qui sert à synthétiser des aliments à partir de l'eau, du gaz carbonique et de l'énergie solaire.
Cils : poils généralement courts et assez raides bordant un organe.
Cilié : muni de *cils.*
Composé : le contraire de *simple* : comprenant plusieurs organes plus élémentaires. Une feuille composée comprend plusieurs *folioles.*
Cordé : profondément échancré à la base.
Cordiforme : en forme de cœur stylisé.
Coriace : à consistance de cuir.
Coriacé : presque à consistance de cuir.
Corolle : enveloppe interne d'une fleur : ensemble des *pétales* (libres ou soudés entre eux).
Corymbe : inflorescence à croissance *indéfinie* (*racème* ou *panicule*) à rameaux inégaux, les externes plus longs, les fleurs se trouvant ainsi sensiblement dans un même plan).
Côte : 1) nervure centrale d'une feuille ; 2) ligne saillante sur un organe plat quelconque.
Crénelé : à *dents* larges et obtuses ou arrondies.
Cunéiforme : en forme de coin.
Cupule : organe en forme de petite coupe, soutenant en général un autre organe.
Cyme : *inflorescence* à croissance *définie,* dans laquelle les ramifications latérales dépassent le sommet de la ramification d'ordre précédent.
Cymule : petite *cyme.*
Décidu : *caduque.* Se dit surtout des feuilles qui tombent à une certaine période de l'année.
Décurrent : prolongé sur un autre organe.
Décussé(es) : se dit de feuilles *opposées,* les paires successives étant croisées à angle droit.
Défini(e) : se dit d'un mode de croissance dans lequel il n'y a pas de bourgeon terminal, ou dans lequel le bourgeon terminal cesse de fonctionner à un certain stade.
Déhiscence : c'est le fait, pour un organe clos, de s'ouvrir à maturité ; concerne généralement les *fruits.*

Déhiscent : se dit d'un *fruit* qui s'ouvre pour libérer ses graines.
Deltoïde : en forme de triangle équilatéral, ou de triangle isocèle large.
Dense : formé d'éléments nombreux et serrés.
Denté : à bord présentant des *dents.*
Denté en scie : à *dents* aiguës « couchées » comme les dents d'une scie.
Dents : échancrures plus ou moins régulières du bord d'un organe (par exemple une feuille).
Dialypétale : à *pétales* complètement libres entre eux.
Diffus : à ramification complexe, les branches souvent tortueuses, ni érigées ni ascendantes.
Digité : à divisions disposées comme les doigts d'une main étalée.
Dioïque : à fleurs mâles et femelles sur des pieds différents.
Discoïde : se dit de *capitules* sans fleurs en *ligule* sur le pourtour.
Disque : 1) cercle ou anneau charnu soutenant ou entourant l'*ovaire* de certaines fleurs ; 2) partie centrale du *capitule* des Astéracées, par opposition aux fleurs *ligulées* éventuellement présentes sur le pourtour.
Distiques : se dit de feuilles (*alternes* ou *opposées*) toutes disposées dans un même plan, de part et d'autre de l'axe porteur.
Dormance : propriété des graines de certaines plantes, qui ne peuvent germer immédiatement.
Dressé : voir *érigé.*
Drupe : *fruit* plus ou moins charnu, *indéhiscent,* dont la partie interne (endocarpe) est dure et forme un noyau.
Duvet : revêtement de poils courts, fins, doux au toucher.
Ecaille : 1) feuille très réduite ; 2) poil aplati, souvent *pelté* ; 3) *lamelle* (*souvent petite*).
Ecotype : forme d'une espèce apparemment adaptée à un milieu particulier.
Ellipsoïdal : qui a la forme d'un volume (appelé « ellipsoïde ») engendré par un ovale parfait tournant autour de son grand axe.
Elliptique : d'un ovale parfait (ou ellipse).
Engainant : formant une *gaine* autour d'un autre organe.
Entier : sans *segments,* ni *lobes,* ni *dents.*
Entre-noeud : partie d'une tige comprise entre deux *noeuds.*
Epi : *inflorescence* à croissance *indéfinie* (*grappe* ou *racème*) à *pédicelles* nuls ou très courts.
Epillet : petit *épi* ; partie élémentaire de l'*inflorescence* chez les Poacées et les Cypéracées.
Erigé : dirigé verticalement vers le haut.
Espèce : ensemble de plantes se ressemblant beaucoup et pouvant se reproduire entre elles naturellement.
Etalé : qui s'étale en tous sens sur le sol ou près du sol.
Etamine : organe mâle d'une fleur, composé en général d'un filet portant une *anthère.*
Etendard : *pétale* postérieur des fleurs *papilionacées.*
Falciforme : en forme de faucille.
Famille : groupe de *genres* apparentés. Le nom d'une famille se termine par « -acées » ou « -aceae », et ne doit pas s'écrire en italique.
Farineux : recouvert d'une sorte de poudre blanche plus ou moins facilement détachable.
Fibreux : muni de fibres, composé de fibres, ou contenant des fibres.
Filiforme : long et fin comme un fil.
Flasque : non rigide, mou, ou se fanant très rapidement après cueillaison.
Foliacé : à consistance et/ou aspect (couleur) de feuille.
Foliaire : relatif aux feuilles, ou situé sur les feuilles.
Fronde : feuille d'une Fougère.
Fruit : organe issu de l'*ovaire* fécond, et contenant la ou les graines. Peut être sec ou charnu.
Gaine : organe creux et plus ou moins allongé, entourant un *axe* sur une certaine longueur.
Gamopétale : se dit d'une *corolle* à *pétales* soudés entre eux, au moins à la base.
Genre : groupe d'*espèces* présentant de nombreux caractères semblables.

Glabre : sans poils.
Glande : petite excroissance superficielle sur un organe.
Glauque : d'un vert blanchâtre ou bleuâtre.
Glomérule : groupe de fleurs, dense et plus ou moins globuleux.
Glumes : *bractées* primaires des *épillets* des Poacées. Par extension, *bractées* des *épillets* des Cypéracées.
Glumelles : *bractéoles* des fleurs dans les *épillets* des Poacées.
Gousse : *fruit* sec, *déhiscent*, s'ouvrant en deux *valves.*
Grappe : *inflorescence* simple à croissance *indéfinie,* portant des rameaux courts et égaux.
Habitat : type de milieu où l'on rencontre normalement une *espèce,* un *écotype* ou une *communauté végétale.*
Hampe : tige (en général naissant de la base de la plante), sans feuilles, portant une *inflorescence* à son extrémité.
Hasté : en forme de fer de hallebarde, avec à la base deux *lobes* étalés.
Herbe : végétal non lignifié à l'état adulte.
Hermaphrodite : qui possède les deux sexes.
Hirsute : hérissé de poils plus ou moins longs, en général assez raides.
Hispide : hérissé de poils longs, raides et piquants.
Hyalin : transparent et incolore.
Imbriqués : se recouvrant mutuellement, plus ou moins régulièrement.
Imparfait(e) : se dit d'une fleur unisexuée.
Imparipennée : se dit d'une feuille *pennée* terminée par une *foliole.*
Incisé : plus ou moins profondément découpé.
Inclus : ne dépassant pas l'organe qui l'entoure.
Indéfini(e) : se dit d'un type de croissance dans lequel le « bourgeon » terminal est indéfiniment actif. Pour une *inflorescence,* cela implique que les fleurs du centre ou de l'extérmité s'ouvrent après celles de la base ou du pourtour.
Indéhiscent : qui ne s'ouvre pas, même à maturité (se dit en général d'un fruit).
Indigène : originaire du pays dont on parle.
Infère : se dit d'un *ovaire* situé sous le plan d'insertion des pièces du *périanthe.*
Inflorescence : 1) ensemble de fleurs ; 2) type de disposition des fleurs d'une plante.
Involucral : relatif à l'*involucre* ou faisant partie de l'*involucre.*
Involucre : ensemble de *bractées verticillées* soutenant ou entourant une fleur ou un groupe de fleurs.
Irrégulier (-ère) : se dit d'un organe ne présentant aucune symétrie particulière. Se dit parfois, abusivement, d'une fleur à symétrie bilatérale.
Laineux : chargé de poils nombreux, crépus et mous.
Lancéolé : en forme de fer de lance, sans *lobes* à la base.
Latex : liquide ressemblant souvent à du lait, sécrété par certaines plantes.
Liane : plante grimpante ou longuement rampante.
Ligneux : 1) composé de bois ; 2) qui comprend des parties composées de bois.
Ligule : 1) organe membraneux, ou formé de poils, à la limite de la *gaine* et du *limbe* des feuilles des Poacées ; 2) partie plate et allongée de la *corolle* dissymétrique des fleurs du pourtour du *capitule* de certaines Astéracées.
Limbe : partie élargie, plate et en général mince d'un organe (feuille, par exemple).
Lobe : division plus ou moins allongée, arrondie ou aiguë, d'un organe.
Lobé : portant un ou plusieurs *lobes.*
Marge : bord d'un organe.
Marginal : situé sur la *marge* ou près de la *marge,* ou relatif à la *marge.*
Membraneux : mince et souple comme une membrane.
Méricarpe : unité élémentaire d'un fruit sec qui se sépare des autres à maturité.
Nervation : 1) ensemble des *nervures* d'une feuille ; 2) disposition des *nervures.*

Nervures : faisceaux de vaisseaux conducteurs de la sève, formant des lignes ou un réseau sur le *limbe* foliaire.
Nœud : point d'insertion d'un organe sur un *axe* (par exemple d'une feuille sur une tige ou un rameau).
Nom botanique : suite de deux mots latins (« binôme »), dont le premier est le nom du *genre* et le second un adjectif servant désigner l'*espèce*. Le nom botanique doit être écrit en *italique* ou souligné.
Ob- : préfixe servant à exprimer le renversement d'une forme.
Obcordé : *cordé* à l'extrémité.
Oblancéolé : *lancéolé* « à l'envers » (la partie la plus large vers le sommet).
Oblong : de forme allongée et de largeur presque constante.
Obové : *ové* « à l'envers » (la partie la plus large vers le sommet).
Obovoïde : *ovoïde* « à l'envers » (la partie la plus large vers le sommet).
Obtus : en pointe émoussée.
Ombelle : *inflorescence* à croissance *définie,* dans laquelle toutes les branches secondaires partent du même point.
Opposées : feuilles insérées deux par deux, à la même hauteur et de part et d'autre d'un rameau (voir *alternes, verticillées...*).
Oreillette : voir *auricule.*
Ovaire : partie inférieure du *pistil,* généralement renflée, formée d'un ou plusieurs *carpelles,* et qui contient les *ovules.*
Ové : présentant le contour d'un œuf (dans un plan).
Ovoïde : en forme d'œuf (dans l'espace).
Ovule : cellule sexuelle femelle.
Palmatifide : divisé en *lobes* aigus disposés comme les doigts d'une main ouverte.
Palmatilobé : divisé en *lobes* arrondis disposés comme les doigts d'une main ouverte.
Palmée : se dit d'une feuille divisée en *folioles* ou en *lobes* très profonds, disposés comme les doigts d'une main ouverte.
Panicule : *inflorescence composée,* de nature très diverse.
Papilionacé(es) : 1) se dit d'une fleur « de pois » ; 2) ancien nom des Fabacées.
Papyracé : à texture ou consistance de papier.
Parasite : qui se développe aux dépens d'une autre plante, en pénétrant plus ou moins profondément ses tissus.
Parfait(e) : se dit d'une fleur bisexuée (ou *hermaphrodite*) ; cas le plus fréquent.
Paripenné(e) : se dit d'une feuille *pennée* sans *foliole* terminale.
Pédicelle : petit rameau d'une *inflorescence* portant une fleur.
Pédoncule : petit rameau d'une *inflorescence* portant un groupe de fleurs.
Pelté : se dit d'un organe plat (par exemple une feuille) fixé par un point de sa surface, et non par sa marge.
Penne : division primaire d'une feuille *bipennée,* qui porte les *folioles.*
Pennée : se dit d'une feuille *composée* de *folioles* disposées de part et d'autre de l'axe (ou *rachis*), comme les barbes d'une plume.
Pérenne : qui dure plusieurs années.
Périanthe : ensemble des enveloppes de la fleur, en général composé du *calice* et de la *corolle.* Peut être *simple* ou absent (« nul »).
Péricarpe : partie externe du *fruit,* issue de la paroi de l'*ovaire.*
Persistant : qui reste en place.
Pétale : élément de la *corolle* ; s'emploie surtout si celle-ci est *dialypétale.*
Pétiole : partie inférieure, souvent fine, de la feuille, assurant la jonction entre le *limbe* et le rameau. Peut être très réduit, ou absent.
Pileux : muni de longs poils souples.
Pinnatifide : divisé en *segments* des deux côtés. Se dit surtout d'une feuille.
Pistil : organe central, femelle, de la fleur, composé de l'*ovaire,* du *style* et du *stigmate.*
Pollen : poudre contenue dans les *anthères* et constituée des cellules mâles qui peuvent féconder les *ovules.*

Propagation : ensemble des mécanismes de reproduction et de dissémination d'une plante.
Pubescent : couvert de poils fins, courts, souples et peu serrés.
Pyxide : *capsule* s'ouvrant par un cercle, dans un plan perpendiculaire à l'axe.
Racème : voir *grappe*.
Rachis : 1) prolongation du *pétiole* dans une feuille *pennée* ; 2)*axe* principal d'une *inflorescence*.
Réceptacle : sommet dilaté (aplati, concave, convexe ou conique) d'un *pédicelle* (portant les pièces florales) ou d'un *pédoncule* (portant des fleurs *sessiles* : cas des *Astéracées*).
Réniforme : en forme de rein ou de haricot.
Rhizomateux : qui possède un *rhizome*.
Rhizome : tige souterraine, sans *chlorophylle*, souvent horizontale.
Rhombique : en forme de losange.
Rudéral(e) : se dit d'une plante qui pousse dans des milieux perturbés et instables (terrains vagues, éboulis, bords de route, abords des habitations ...).
Sagitté : en forme de fer de flèche.
Scabre : rêche ou finement rugueux.
Segment : partie bien individualisée d'un organe, qui semble pouvoir s'en détacher facilement.
Semi- : préfixe signifiant « à moitié ».
Sépale : élément du *calice* non soudé aux autres. Par extension, *lobe* ou *segment* du *calice*.
Serreté : *denté en scie*.
Sessile : sans *pétiole* (feuille), ou sans *pédoncule* ou *pédicelle* (fleur, fruit).
Sillon : ligne imprimée.
Simple : ne comprenant qu'un seul élément.
Sore : organe rond ou allongé, contenant les spores, et généralement situé à la face inférieure d'une *fronde* de fougère.
Soyeux : 1) qui évoque la soie (à la vue et/ou au toucher) ; 2) couvert de poils soyeux.
sp. : indique une *espèce* indéterminée, ou non précisée.
spp. : indique que l'on parle de plusieurs *espèces*, non précisées, du même *genre*.
Spadice : *épi* épais et charnu, portant de très petites fleurs très serrées, et souvent soutenu ou entouré par une *spathe*.
Spathe : grande *bractée membraneuse* ou *foliacée*, parfois colorée, enveloppant ou soutenant certaines *inflorescences* (*spadices*).
Spatulé : en forme de spatule (nettement et assez brusquement élargi vers l'extrémité).
Stellés : se dit de poils arbusculeux ou étoilés.
Stigmate : extrémité du *style* où viennent germer les grains de *pollen*.
Stipulaire : relatif aux *stipules*.
Stipule(s) : appendice de la feuille, situé à la base ou près de la base du *pétiole* ; en général par 2.
Stolon : tige couchée, s'allongeant indéfiniment et émettant à chaque nœud des racines et souvent une « pousse ».
Stolonifère : qui émet des *stolons*.
Strié : qui présente des raies parallèles et rapprochées (imprimées, ou d'une couleur différente de celle de l'organe).
Style : partie amincie et souvent grêle du *pistil*, surmontant l'*ovaire*, et terminée par un *stigmate*. Un *ovaire* formé de plusieurs *carpelles* peut être surmonté de plusieurs styles.
Sub- : préfixe signifiant « presque ».
Succulent : se dit d'un tissu charnu et gorgé d'eau.
Supère : se dit d'un *ovaire* situé au-dessus du plan d'insertion des pièces du *périanthe*, auxquelles il n'adhère pas.
Tristique : se dit d'organes homologues disposés dans trois plans qui font deux à deux un angle de 120° (par exemple les feuilles du Ti Vinson).
Tronqué : terminé brusquement.
Tubercule : 1) renflement souterrain de la tige ou du *rhizome* (et, par une extension impropre, d'une racine), contenant des substances de réserve ; 2) sorte de « verrue » sur un organe quelconque ; 3) base renflée d'un poil.

Valve : Pièce d'un *fruit* devenue distincte par formation de fentes de *déhiscence*.
Variété : forme distincte d'une *espèce,* qui diffère par des caractères morphologiques.
Veination : *nervation.*
Velouté : couvert de poils courts, serrés, denses, *dressés,* et doux au toucher (comme du velours).
Velu : couvert de longs poils souples, rapprochés.
Verticille : groupe d'organes rangés en cercle autour d'un *axe.*
Verticillé(s) : disposés en *verticille.* Feuilles verticillées (voir *alternes, opposées*).
Volubile : qui grimpe en s'enroulant en hélice autour de son support.
Vrilles : filaments *volubiles* de certaines *lianes.*

Index of botanical names
Index des noms botaniques

Index of vernacular names
Index des noms vernaculaires

Imprimé par Jouve
18, rue St-Denis, 75001 Paris
N° 31391. — Dépôt légal : Juin 1991

Ouvrage publié avec la participation financière du Ministère des Affaires Etrangères (France) et du CTA.

LE CENTRE TECHNIQUE DE COOPÉRATION AGRICOLE ET RURALE (CTA)

Le Centre Technique de Coopération Agricole et Rurale (CTA) est installé depuis 1983 à Ede/Wageningen au titre de la Convention de Lomé entre les États Membres de la Communauté Européenne et les États du groupe ACP.
Le CTA est à la disposition des États ACP pour leur permettre un meilleur accès à l'information, à la recherche, à la formation ainsi qu'aux innovations dans les secteurs du développement agricole et rural et de la vulgarisation.

Les États ACP

Angola
Antigua et Barbuda
Bahamas
Barbade
Belize
Bénin
Botswana
Burkina Faso
Burundi
Cameroun
Cap Vert
Centrafrique
Comores
Congo
Côte d'Ivoire
Djibouti
Dominique
Éthiopie
Fidji
Gabon
Gambie
Ghana
Grenade
Guinée
Guinée Bissau
Guinée Équatoriale
Guyane
Haïti
Jamaïque
Kenya
Kiribati
Lesotho
Libéria
Madagascar
Malawi
Mali
Maurice
Mauritanie
Mozambique
Namibie
Niger
Nigéria
Ouganda
Papouasie-Nlle-Guinée
République Dominicaine
Rwanda
Saint-Christophe et Nevis
Sainte-Lucie
Saint-Vincent et Grenadines
Salomon
Samoa Occidentales
São Tomé et Principe
Sénégal
Seychelles
Sierra Leone
Somalie
Soudan
Suriname
Swaziland
Tanzanie
Tchad
Togo
Tonga
Trinité et Tobago
Tuvalu
Vanuatu
Zaïre
Zambie
Zimbabwe

La Communauté Européenne

Allemagne (Rép. Féd.)
Belgique
Danemark
Espagne
France
Grèce
Irlande
Italie
Luxembourg
Pays-Bas
Portugal
Royaume-Uni

CTA

Centre Technique de Coopération Agricole et Rurale
Convention ACP-CEE de Lomé
Siège : « De Rietkampen », Galvanistraat 9, Ede, Pays-Bas
Adresse postale : Postbus 380 — 6700 AJ Wageningen, Pays-Bas

Tél. : (31) (0) 8380-60400 Telex (44) 30 169 cta nl Fax (31) (0) 8380-31052